Problemas? Oba!

Roberto Shinyashiki

Problemas? Oba!

A revolução para você vencer
no mundo dos negócios

*Dedico este livro aos meus filhos
Ricardo e Arthur, pelas conversas, ideias,
orientações e companheirismo.*

Agradecimentos

Este foi um dos livros mais gostosos de escrever da minha vida! Todas as vezes que alguém define uma meta ambiciosa, cria uma série de problemas, e assim aconteceu com este livro. Apesar disso, quando tive algumas dúvidas no meio do processo de escrevê-lo e gritei "Pessoal, estou com um problema!", uma turma sensacional respondeu na hora: "Oba! O Roberto está com um problema, e eu vou ajudá-lo".

Apesar de tê-lo escrito nas noites frias do inverno de São Paulo e nos longos finais de semana em que mergulhei neste projeto, em nenhum momento me senti só. Recebi o calor e o carinho de um grupo de pessoas que trabalharam comigo e torceram por mim o tempo todo. Inclusive durante as madrugadas, especialmente dos meus alunos e novos amigos da turma do *Seminário dos Palestrantes Campeões*.

Como sempre, envio os textos de meus livros para que pessoas critiquem, comentem e deem ideias. No entanto, desta vez, pude contar com os mais de 400 novos amigos; por isso, a troca de opiniões foi intensa e muito produtiva.

Em pleno feriado de *Corpus Christi*, pude conversar com pessoas que me deram ideias e sugestões importantíssimas. Na tensão da reta final, muitas pessoas passaram a noite lendo o texto e me enviando seus *feedbacks* com a rapidez que era necessária. Todos atenderam ao meu pedido com a dedicação de quem está se doando ao próprio projeto.

Por isso, posso dizer que este livro é resultado de um processo de *crowdsourcing*, palavra difícil, mas que pode ser definida com a simplicidade e o comprometimento de um grupo que trabalha o tempo todo para aperfeiçoar um produto.

Em tempos da instantaneidade das redes sociais, pude vivenciar a interação com meu público, que nesse processo me enviou 727 e-mails com críticas profundas e sugestões muito criativas ao texto, sem contabilizar ainda as outras centenas de manifestações em querer ver o livro ficar pronto. Li cada um com o mesmo carinho com o qual me foi enviado.

A escolha da capa também foi feita com a colaboração de centenas de pessoas de minhas redes sociais, que votaram na melhor opção. E sua decisão foi soberana.

Quero agradecer a cada um de vocês que trabalhou e torceu pelo sucesso deste livro. Vocês são minha maior fonte de inspiração e criatividade!

Um muito obrigado especial ao pessoal da Editora Gente, por todo o suporte a mais este projeto, e à turma do Instituto Gente, por alavancar minha carreira.

Alessandra Ruiz, Gilberto Cabeggi, Elaine Maieski e Roberto Melo, vocês são companheiros de todas as horas.

A Rosely Boschini, um agradecimento todo especial por sua participação na minha vida. Admiro muito você, pois sempre se mantém firme no leme do barco, mesmo quando as nuvens anunciam tempestade no horizonte.

Nós vamos mudar o mundo com nosso trabalho!

Sumário

PREFÁCIO DE SERGIO VALENTE 13

O VALOR DE UM TERNO 19

UM NOVO JEITO DE PENSAR 24

PROBLEMAS? OBA! 29
Mantenha a energia da vida! 32
As invenções começam com alguém gritando: "Oba!" 34
Resolver um problema é uma oportunidade de
  melhorar-se como profissional 37
Resolver um problema é uma oportunidade de
  criar uma empresa sensacional 41
Resolver um problema é uma oportunidade
  de ganhar mais dinheiro 44
O mundo tem cada vez mais problemas
  (ou seja, mais oportunidades) 46
O mundo não vai ficar mais simples 49

O JEITO ERRADO DE LIDAR COM OS PROBLEMAS 52

Negação: o problema não existe! 54

Procurar culpados em vez de procurar soluções 55

Passividade: não fiz nada porque... 55

Dar desculpas e justificativas 56

Atenção para as consequências de não
resolver os problemas 59

Ilusões a respeito dos problemas 62

O SEGREDO ESTÁ NO MÉTODO 65

Passo 1: Esteja presente 67

Passo 2: Escute com atenção 70

Passo 3: Defina a solução que você pode oferecer 77

Passo 4: Desculpe-se de maneira adequada 79

Passo 5: Comprometa-se com a solução 83

CORTE O MAL PELA RAIZ 87

O ciclo dos problemas 90

Fase de alerta 92

Fase de explosão 93

Fase de danos 94

Método "corte o mal pela raiz" 98

Passo 1: Descubra as causas do problema 98

Problemas que se originam com pessoas 99

Problemas que se originam no sistema 107

Problemas que se originam em produtos e serviços 110

Passo 2: Tenha um projeto claro da solução 113

Passo 3: Implemente as mudanças 115

UM NOVO NEGÓCIO 117
Descubra quais problemas resolver 121
A Solução-Ouro 123
   Ser diferente 126
   Ter consistência 127
   Dar um atendimento excelente 128

O MÉTODO OBA PARA RESOLVER PROBLEMAS 131
Método Oba 133
   Definição do problema 133
   Perguntas 133
Um exemplo meu: o seminário *Os Segredos
dos Palestrantes Campeões* 138

FIQUE RICO AJUDANDO AS PESSOAS 144
Esteja disponível para ouvir sobre os problemas 145
Seja curioso e pesquise a situação 147
Interesse-se pela evolução da sua empresa 149
Sempre estenda a mão, que alguém vai ajudá-lo 151

FAÇA SUA VIDA VALER A PENA 153

REFERÊNCIAS BIBLIOGRÁFICAS 157

Prefácio

Vixi. Lá vou eu nesses desafios que a vida me proporciona. Estou na minha sala de presidente de uma grande agência de propaganda do Brasil quando estoura um e-mail na minha tela, um convite-provocação do meu amigo Beto: "Vou lançar um livro novo, escreve o prefácio para mim?".

E eu sei lá escrever prefácio?! E eu tenho lá tamanho para escrever prefácio do novo livro do famoso Roberto Shinyashiki? Sei lá. Mas como sempre gostei de desafios...

Lá vou eu, um publicitário acostumado aos resumos de 30 segundos a introduzir um livro do Beto, um escritor profícuo que já lançou mais livros do que, tristemente, muitos brasileiros já leram – como o Brasil precisa de educação... Foco, Sérgio, foco; volta para o prefácio.

Sendo assim, como topei encarar o problema (coisa que adoro), resolvi dividir em três partes esta "intro": uma história, uma história e uma história.

A primeira história.
Eu cheguei àquele sítio desarmado. Quer dizer, mais ou menos

desarmado, eu não conhecia ninguém ali, nem pacientes nem psicólogos. E ninguém vai tão desarmado assim para um lugar estranho cheio de gente esquisita. Fui meio que levado pela maré. A mesma maré que me havia trazido da Bahia com 20 e poucos anos de sonhos e planos – como se dizia na música. Uma maré chamada Duda Mendonça.

Eu tinha acabado de fazer um trabalho longo com o Duda, bem cansativo – só quem já fez uma campanha política sabe como você acaba, literalmente, acabado. E para me acabar ainda mais, eu tinha acabado de me mudar para São Paulo, largado família, amigos, conforto e um relativo sucesso regional para tentar fazer a América em São Paulo. Ou seja, pressão total, desestabilização total. E o Duda ainda me inventa que eu tinha de fazer um intensivão de terapia com o novo guru que ele havia conhecido. Você vai voltar outro – ele dizia. Não voltei outro. Voltei eu mesmo, muito melhor.

Foram dias intensos. Uma descoberta em cima de outra. Quase o mesmo número de terapeutas e "terapeutizandos". Uma técnica animal de desconstruir o ser humano e guiá-lo por seus próprios caminhos para que ele conseguisse se reconstruir e reencontrar-se melhor.

Cara, ou melhor, meu querido leitor, ou ainda melhor, meu querido leitor do Beto, foi incrível.

O terapeuta-chefe, o guru do momento do Duda, era um craque. E os problemas de cada um iam caindo. As barbas iam sendo cortadas revelando seres humanos incríveis. Os choros eram em profusão e, confesso, não sei como ele conseguia domar aquelas feras enjauladas. E fazer com que aquele sítio fosse, ao mesmo tempo, enclausurador e libertador. Foram dez anos de terapia em poucos dias. Uma experiência para a vida toda.

Esse intenso intensivão não existe mais, mas o que existe dentro de mim é um Sergio Valente melhor e um profundo admirador

PROBLEMAS? OBA!

do meu terapeuta do momento, o guru do momento, o chefe do sítio, o doutor Roberto Shinyashiki, de quem eu já havia lido livros na faculdade, mas que me ensinou a ler o livro da minha própria vida ao mesmo tempo que eu me escrevia. Thanks doutor, ou melhor, thanks Beto, pois ele virou um grande amigo.

Outra história.

O ano era 2005. Janeiro de 2005. Entrei pela porta da DM9, pouco antes das 9 da manhã, como faço quase diariamente desde 1994. Mas naquele dia eu estava diferente. As pernas tremiam, a boca tinha um gosto seco. Medo mesmo. Eu sabia o que ia encontrar lá dentro e, ao mesmo tempo, não sabia de mais nada. Naquele dia, eu assumia a presidência da agência de propaganda que havia sido um ícone na minha vida e na vida de tantos publicitários.

E o desafio era enorme, um problemão: fazer com que a DM9, já tão premiada e destacada, fosse ainda maior e melhor. Sentar na cadeira que já havia sido ocupada pelos grandes Nizan Guanaes, Affonso Serra e Guga Valente. Ser o líder de 300 e poucos homens e mulheres geniais. Ter uma carteira de clientes das mais desejadas e disputadas do mercado. Caaaara, foi um problema animal!

Este não é um livro de propaganda – se fosse eu contaria histórias incríveis do que vivi lá –, é mais um livro do Beto sobre liderança, com foco nas oportunidades que os problemas geram. Liderar é isso, aproveitar as oportunidades que os problemas geram. Este livro é sobre isso. E, acredite, sua vida é sobre isso, seja você empresário ou não. Eu vivi isso.

O problema era enorme e desafiador. Mas eu só imaginava o quanto aquela oportunidade podia mudar a minha vida. E os problemas puxaram soluções, que trouxeram mais problemas e mais soluções. Acho que a vida é assim mesmo, problemas puxando soluções. Numa sequência que puxa várias outras coisas, puxa, inclusive um novo livro do Beto.

A última história.

Era uma vez, há muitos e muitos anos, um reino beeeem distante (talvez não tão distante quanto você imagine) disputado por duas famílias. Duas famílias que dividiam os poderes do reino do Crescimento. Duas famílias que, na verdade, não se gostavam muito, mas se completavam muito bem. Mesmo porque os filhos, ah os filhos!, se amavam loucamente.

O príncipe Problema era um pouco mais velho. Tinha nascido antes. Mas a princesa Solução era linda, era tudo com que Problema sonhava. Aonde Problema ia, desde pequenininho, Solução acompanhava, meio escondida, principalmente quando Problema ainda era pequeno.

Solução tinha esse dom meio mágico, conseguia se esconder, mas, quando era descoberta, ah!, ela se revelava realmente linda. E Problema, vendo a beleza radiante de Solução, quase que se escondia atrás dela.

Eram completos juntos. Quanto mais crescia, mais Problema conquistava novos reinos e admiradores, tendo sempre ao seu lado a radiante Solução, que sempre o acompanhava nas contendas que enfrentavam.

Cresceram em idade e em amor. Já não havia um sem o outro. E o reino do Crescimento tomou um tamanho nunca visto antes, pois, com os príncipes apaixonados Problema e Solução, tudo era resultado.

Mas um dia (já percebeu que toda história tem um "mas um dia"?) o reino foi invadido pela esquadra das irmãs Insegurança e Covardia (um braço da família que havia sumido por um tempo, mas estava lá, planejando a sua volta e a sua vingança contra o reino do Crescimento).

Veja que tristeza, pouco antes do casamento dos príncipes, Solução foi sequestrada.

Ninguém viu. Ninguém soube. Ninguém ajudou. E o reino feneceu.

Problema ficou ranzinza. Ninguém suportava conversar com ele. Problema, sem Solução, era insuportável, todos no reino já quase esqueciam como aquele garboso e vigoroso príncipe Problema era generoso quando acompanhado da princesa Solução. Mas ele estava só e, quanto mais só ficava, mais só era deixado e mais ranzinza se tornava.

Durante muito, muito tempo, todos no reino passaram até a ter medo do príncipe Problema. Quando ele surgia, todos fugiam. E, quanto mais só ficava, mais só era deixado e mais ranzinza se tornava.

Do outro lado do mundo, a princesa Solução, depois de muito tempo, conseguiu burlar as irmãs Insegurança e Covardia e fugiu do cativeiro, mas foi amaldiçoada pelas irmãs com uma magia muito má.

Coitada, ficou errante. Solução, em busca de um Problema, não resolvia nada, não fazia ninguém feliz. Solução, iludida pela magia das irmãs, ainda via Problema aonde não existia nada, somente para completar-se.

Veja, que tristeza: Solução estava tão perto, mas escondida (lembra que ela sempre teve uma capacidade enorme de se fazer desaparecer até o último momento em que, nesse caso, nunca chegava?). Problema tão perto, mas sozinho, reclamando, na torre de seu castelo, onde ninguém tinha coragem de chegar perto.

Um tormento. Dois tormentos. Problema, sem ter a sua solução. Solução, tentando descobrir o seu problema. E o reino fenecendo (adoro essa palavra, acho tão "era uma vez" – mas segue a história).

Até que um dia, escreveram um livro. Um livro mágico. Um livro tão poderoso, escrito por um mago da região que iluminava tudo. E, quanto mais lido, mais poderoso se tornava. E todos no reino começaram a ver.

Problema na verdade era mal compreendido. Ele era aquele mesmo ser adorado que ajudava a todos e tinha feito o reino crescer tanto. Um a um, todos no reino começaram a visitá-lo.

No início foi difícil mesmo, mas, quanto mais pessoas encaravam Problema, mais se encantavam com as possibilidades que havia perto dele.

Graças a esse livro mágico, Problema passou a ser tão amado, tão amado, que seu coração começou a irradiar uma luz tão forte, mas tão forte, que destruiu a magia das irmãs malévolas, e Solução, deixando-se guiar pela luz de Problema, revelou-se em todo o seu esplendor na porta do castelo. Problema levantou de onde estava. Solução irrompeu sala adentro. E...

Ah a felicidade do encontro. Quando Problema e Solução se encontraram, amaram-se loucamente, trazendo felicidade para todo o reino.

Pouco tempo depois tiveram um filho: Futuro. E Futuro tornou-se o rei mais justo, sábio e poderoso de toda a história. E fez todo o reino crescer com ele. Pois guardava todo o poder do pai, Problema, e toda a ternura da mãe, Solução.

Leia o livro que mudou essa história Pelo menos a história de muita gente. E pode mudar a sua.

Sergio Valente
Presidente da agência de publicidade DM9DDB

O valor de um terno

Muitas vezes, o terno que um homem usa mostra muito como estão suas ideias.

No começo dos anos 1990, fui convidado por um grande grupo empresarial para fazer uma série de palestras pelo Brasil para falar para suas equipes sobre os novos caminhos que a companhia iria tomar.

O convite para as palestras veio do diretor de treinamento do grupo. Inicialmente, marcamos um almoço em um restaurante da moda e, embora tivesse ouvido muito falar dele, eu não o conhecia pessoalmente.

Ele chegou em um carro importado (que naquela época mostrava muito mais o *status* de uma pessoa que nos dias de hoje), vestido com muita elegância, e, apesar de tanta sofisticação, pude descobrir um profissional muito simples, mas com ideias muito avançadas.

Passamos a viajar juntos durante o ciclo de palestras e, em uma das viagens de avião que fizemos, ele me disse que a posição profissional de um homem podia ser representada pelo terno que ele usava. No seu caso, sempre mandava fazer seus ternos com um alfaiate renomado, usando tecidos especiais. Para ele, isso era a marca que definia quem ele era profissionalmente.

Naquele momento, até fiquei meio sem graça, porque nunca pensei daquela maneira, já que sempre fui muito simples na maneira de me vestir. Gosto muito de usar um blazer e uma calça bem à vontade e costumo andar bem arrumado, mas nada muito sofisticado.

Aquela história, porém, ficou na minha cabeça. Comecei a pensar nos ternos e nos vestidos como símbolos de *status* profissional, e passei a incorporar gravatas finas e elegantes ao meu vestuário. Nunca mais fui sem paletó às reuniões de negócios.

Nós nos tornamos amigos ao longo dos dez eventos que fizemos em cidades diferentes pelo Brasil. Ele, na verdade, iniciou-me no mundo das organizações. Sempre com muito cuidado e respeito, ele me explicou como entender uma empresa, como apresentar-me nos eventos e como fazer as negociações. Certamente, ele foi a pessoa que me apresentou ao mundo empresarial de maneira profunda, e, por isso, eu lhe serei eternamente grato.

A partir de então, passamos a conversar de vez em quando por telefone, e ele sempre me respondia sobre alguma questão que eu tinha a respeito das organizações. Em um desses telefonemas, estranhei quando ele me contou que havia se recusado a participar de um curso de especialização em Harvard. A razão para não haver ido era chocante: "Acho que não tenho nada a aprender por lá. Tudo o que preciso saber está na minha empresa".

Alguns anos se passaram sem que houvesse nenhum contato entre nós. Um dia, surpreendentemente, recebi um telefonema dele. Meu amigo contou-me que havia saído daquele grupo empresarial e que estava indo trabalhar em uma das grandes consultorias brasileiras. Disse que o convite era irrecusável, que estava cansado dos jogos de poder da empresa e que estava partindo para um novo desafio. Em meu íntimo, achei um péssimo

PROBLEMAS? OBA!

negócio para a sua carreira; porém, como respeitava sua inteligência, apoiei sua decisão.

Depois de algum tempo, ele me convidou para um café. No encontro, percebi que o terno dele já não tinha o caimento daqueles que usava antigamente; provavelmente, era um terno comprado pronto em uma loja elegante. Mas o que mais me chamou a atenção foram suas ideias, que percebi estarem ultrapassadas; ele citava os mesmos exemplos de vários anos antes e reclamava muito da vida e das dificuldades.

Senti vontade de falar para ele que o mundo havia mudado, e que continuava mudando, e por isso ele precisava se atualizar para estar bem preparado. Porém, ele falou muito o tempo todo e não fiquei à vontade para fazer qualquer comentário mais profundo.

Mais alguns meses se passaram e nos encontramos novamente. Daquela vez, ele me contou que havia saído da empresa porque estava montando a própria consultoria. Deu uma série de explicações para haver tomado essa decisão, mas principalmente disse que era o momento de empreender e de abrir seu próprio negócio. Aquilo me deixou preocupado, pois tive a impressão de que ele ia abrir uma empresa porque não estava conseguindo um emprego à sua altura.

Quando nos despedimos, reparei que ele usava um terno simples, certamente comprado pronto em algum desses grandes magazines.

Alguns meses depois, ele me telefonou e marcamos uma conversa. No encontro, disse que havia fechado sua empresa porque estava sem trabalho, que tudo estava muito difícil, havia muita concorrência e, na verdade, achava que não tinha vocação para ser empresário.

Contou-me também que estava se separando da esposa e tomando remédios, pois sua pressão estava alta e seus exames não estavam bons.

Daquela vez, o terno dele estava um pouco surrado. O que mais me chamou a atenção foram suas ideias, que estavam totalmente fora da realidade do mundo dos negócios.

Percebi sua angústia e vi que ele conteve as lágrimas. Então desabafou, confessando que havia perdido todo o seu patrimônio, que estava com dívidas, e, no final, pediu-me para ajudá-lo a se recolocar no mercado de trabalho.

Meu coração estava estraçalhado, pois era triste ver uma pessoa que eu admirava muito naquela situação! E me perguntei: como alguém como ele pode ter sofrido uma queda tão vertiginosa na vida?

Falei ao meu amigo que o ajudaria a se recolocar sim, mas que antes ele precisaria aprender a ver como as empresas e os profissionais pensam e agem para ter sucesso no mundo de hoje.

Sugeri que deixasse de lado alguns hábitos e crenças que já não tinham utilidade e que não estavam mais adequados à sua nova realidade. Contei a ele uma pequena história, para exemplificar o que eu estava dizendo:

"Um monge chamou seu discípulo e, juntos, foram tomar chá. Depois de algum tempo de conversa, o mestre percebeu que o discípulo não estava compreendendo o que ele ensinava.

A mente do discípulo estava cheia de conceitos e crenças que iam contra o que o mestre estava dizendo; por isso ele não compreendia.

Em dado momento, o mestre resolveu que tomariam vinho. Apanhou sua xícara e jogou fora o chá. Depois, encheu-a com vinho. Então, ordenou ao discípulo que fizesse o mesmo.

Enquanto tomavam o vinho, o mestre explicou pausadamente: 'Para beber vinho em uma xícara cheia de chá é necessário primeiro jogar fora o chá para então colocar o vinho'.

Pois assim é também com sua mente. Enquanto você não jogar fora seus velhos conceitos e crenças, não vai colocar nela o que estou lhe ensinando."

Ele sorriu, sinalizando que havia entendido minha mensagem. Aceitou a proposta que fiz e começamos a trabalhar.

Este livro é sobre tudo o que ensinei ao meu amigo, para que ele entendesse as estratégias usadas pelos grandes empresários e executivos de sucesso. E, principalmente, para que nunca mais precisasse buscar desesperadamente um emprego e passasse a fazer as melhores escolhas para sua carreira.

Como sempre, espero, além do meu amigo, também ajudar você a realizar todos os seus objetivos de vida!

Um grande abraço,

Roberto Shinyashiki

Um novo jeito de pensar

"Para ter sucesso atualmente, a lição mais importante é entender que os problemas que as pessoas nos trazem podem ser os melhores presentes que acontecem em nossa vida."

"Como? Você tem certeza disso, Roberto?"

"Sim, meu amigo. Minha resposta é um enorme SIM*!"*

Eu sei que isso pode parecer estranho, pois as pessoas em geral pensam que quando alguém nos apresenta uma dificuldade está trazendo mais trabalho, preocupação e estresse.

Mas o que quero que você entenda é que um problema é uma grande oportunidade de crescer, tanto pessoal quanto profissionalmente.

Resolver um problema que aparece é aproveitar a chance de mostrar sua competência no trabalho, seu valor como profissional e também de ganhar mais dinheiro.

Imagine a situação: já faz mais de dois anos que você não vai ao dentista. Como o orçamento está apertado, você vai adiando essa visita até que, em um final de tarde de sábado, um dente começa a doer. Toma um analgésico, mas a dor vai aumentando; então você liga para seu dentista pedindo ajuda.

Se for um bom profissional, ele vai ouvir a sua voz e pensar: "Oba, que oportunidade!"

Oportunidade de se mostrar especial, de conquistar você para o resto da vida e também de ganhar um dinheiro extra. No mínimo, uma chance de se mostrar um profissional leal e responsável.

Agora coloque-se no lugar do dentista: você está se preparando para sair para jantar com a namorada e, inesperadamente, o telefone toca. Um cliente liga pedindo para que você o atenda. O que você faz? Procura atendê-lo e combina com a namorada para jantarem um pouco mais tarde, ou simplesmente não atende ao telefone?

Na verdade, se você não atender, estará se arriscando a não ter mais esse cliente, pois se outro dentista tratá-lo com competência e atenção, ele não voltará mais ao seu consultório. Se atender, no entanto, estará aproveitando uma oportunidade de ouro.

Tem sucesso quem sabe trabalhar para resolver os problemas dos outros, sejam eles seus clientes, seus superiores ou seus colaboradores.

Os criadores do Google decidiram resolver um problema para toda a humanidade e veja o que aconteceu a eles.

No fim de 1998, a internet estava se tornando cada dia mais uma imensidão de novos sites de pessoas e de empresas. Navegar por esse mar sem fim sem uma bússola ou referência começava a se transformar em uma tarefa muito complicada. Um problema cada vez maior.

Na tentativa de resolver a questão, para pavimentar e sinalizar essa grande rodovia virtual, começaram a surgir alguns sites de busca. Foi então que Larry Page e Sergey Brin, dois estudantes de Stanford, conseguiram criar um programa revolucionário, simples de usar e extremamente amigável, que não só organizava as informações da internet como também as classificava por relevância, levando em conta as buscas que cada usuário fazia.

Todos os dias, praticamente todas as pessoas se valem do Google para fazer buscas, e resolvem seus problemas utilizando a solução que ele fornece. Para ter uma ideia da dimensão do que isso representa, apenas a marca Google vale cerca de 111 bilhões de dólares, segundo o relatório BrandZ Top100 de 2011!

Eu disse então para meu amigo: *"Se alguém faz alguma coisa para melhorar o mundo, isso significa que você também pode fazer. Quero que você reflita sobre duas perguntas: Qual é o problema que você pode ajudar as pessoas a resolver? Quais problemas você pode ajudar as empresas a resolver?".*

Dentro das empresas, as pessoas que sabem, que gostam e que conseguem resolver os maiores problemas são as que têm os melhores cargos e salários.

Quando uma empresa decide promover um profissional, quem é o candidato mais forte à vaga? Não tenha dúvida de que será aquele que melhor resolve os problemas da companhia. E quem são os executivos mais valorizados no mundo corporativo? Os que solucionam as maiores encrencas para os empresários.

Veja um exemplo bem simples: suponha que você acaba de ser contratado para ser o diretor de vendas de uma organização. Assim que começa a trabalhar, descobre que sua equipe está totalmente esfacelada!

Você pode ter dois tipos de reação: sentir-se enganado e revoltado ou aproveitar a oportunidade para montar uma equipe sensacional e mostrar para os sócios da empresa que eles podem contar com você para o que der e vier!

Sobre qualquer aspecto da vida, você pode decidir se estará dentro ou fora do jogo. É preciso que você esteja em campo, batalhando com sua equipe, porque ela quer vê-lo suando a camisa para entregar o resultado.

Infelizmente, a maioria das pessoas prefere assistir ao jogo da arquibancada, para não correr o risco de ser vaiada em caso de derrota. No entanto, os vencedores sabem que, independentemente do resultado, o melhor da vida é estar lutando ombro a ombro com seus companheiros de batalha.

Sua avaliação pelos seus superiores, portanto, será feita não apenas com base nos resultados, mas também na sua atitude. E todos sabem que, em uma equipe de vendas, recebe as maiores comissões quem vai para cima do problema e resolve as situações que afligem os clientes.

Eu, particularmente, adoro quando um gerente tem uma atitude de gigante e ajuda seus colaboradores a resolver desafios, como quando estão com dificuldades para fechar um contrato, quando não estão conseguindo entregar o produto no prazo ou quando estão com as metas de vendas comprometidas.

Da mesma maneira, desprezo um gerente que se omite ou dá desculpas quando as dificuldades aparecem.

Portanto, qualquer que seja seu objetivo, faça dos desafios seus maiores aliados. Agindo assim, o que vai acontecer?

Se você for um profissional liberal, vai se tornar o mais requisitado do mercado.

Se for funcionário de uma empresa, vai ter seu valor e reconhecimento multiplicados.

Se for uma empresa, verá seus lucros crescerem em uma velocidade inacreditável.

Por isso, quando alguém chamar você para falar de um problema, comemore!

Além de poder aproveitar uma chance valiosa para vencer profissionalmente, você estará conseguindo outra grande oportunidade: a de realizar sua missão, seu propósito de vida, que é o exercício da função mais útil que você pode desempenhar.

Então, da próxima vez que um cliente ligar para você e disser que tem um problema, quero que você grite bem alto dentro do seu cérebro: Problemas? Oba!

Quando seu superior chamar você na sala dele e falar que tem um problema, grite mais alto ainda dentro da sua cabeça: Problemas? Oba!

Um dos segredos dos homens de sucesso é fazer diferente do que a maioria das pessoas faz. Nem que seja para chorar uma eventual derrota, batalhe sempre para ir adiante quando a maioria para porque diz que está cansada.

Afinal de contas, você quer ser especial ou apenas mais um na multidão?

Problemas? Oba!

"Hoje em dia, não somos mais remunerados pelo tempo durante o qual trabalhamos em uma empresa, mas sim pelos resultados que produzimos."

"Mas e meu passado? A posição que ocupei e todos os anos que dediquei ao trabalho não contam? Experiência sempre foi relevante..."

"Hoje isso não é mais suficiente para garantir o sucesso."

"Não entendo esse ponto! Sobre quais resultados você está falando, Roberto?"

"Lucro é um deles. Quanto mais lucro você produzir, mais valor terá para a empresa."

O tempo todo, meu amigo ficava me falando das histórias que havia vivido naquela companhia em que nos conhecemos. Contava sobre todas as viagens internacionais que havia feito, enumerava os benefícios que possuía e, principalmente, falava sobre o poder que tinha na empresa.

Percebi que, com o tempo, ele foi ficando sem disposição para ouvir falar de problemas. Foi acomodando-se com as regalias que havia conquistado depois de trabalhar por tanto tempo na mesma organização.

Porém, a acomodação é perigosa. Querer dormir sobre o louro das vitórias do passado é pedir para ser atropelado pelo presente e pelo futuro. Como disse Victor Hugo: "A água que não corre forma um pântano; a mente que não trabalha forma um tolo". Então, é preciso estar em movimento, aprendendo e se atualizando sempre.

"Você precisa perceber que é avaliado pelos resultados que entrega no presente, e não por sua história do passado."

Em geral, depois de algum tempo, os profissionais tendem a querer ficar longe das dificuldades. Há até quem saia da sala quando alguém traz algo difícil para ser resolvido. Existem pessoas que querem um cargo de chefia porque pensam que assim poderão fugir dos problemas. Grande engano!

Há quem ache que é inteligente porque consegue escapar das encrencas. No final, pessoas assim acabam fora da empresa, porque os problemas explodem e causam prejuízos, que elas nada fizeram para evitar.

Fico maluco quando vejo alguém querendo "terceirizar" a solução de um problema. Infelizmente, meu amigo era do tempo em que um diretor chegava para o presidente da empresa e descrevia um problema grave que estava acontecendo. E o presidente soltava a clássica máxima: "Não me traga problemas, me traga soluções!".

O diretor, meio atordoado, saía da sala e pensava no que fazer. Chegava à conclusão de que seguiria o exemplo do presidente. Chamava então o gerente, passava a batata quente e dizia: "Não me traga problemas, me traga soluções".

E, daí em diante, todo mundo fazia o mesmo.

O gerente, já estressado com a confusão inesperada, chamava o supervisor e passava a questão para ele se virar. E arrematava: "Não me traga problemas, me traga soluções".

PROBLEMAS? OBA!

O supervisor, que nem tinha ideia de que um problema assim existia na companhia, chamava seu funcionário e vendia o peixe que tinha comprado: "Não me traga problemas, me traga soluções". O funcionário, mais que rapidamente, seguia o modelo aprendido, chamava o pobre do estagiário e dizia: "Se vira e resolve!". E, óbvio, completava: "E não me traga problemas, me traga soluções". O estagiário olhava para um lado, olhava para o outro, e não encontrava ninguém para passar o problema. Então, buscava resolver o caso do jeito dele.

Ou seja, a pessoa menos experiente e que recebia o menor salário era quem acabava sendo responsável por resolver a encrenca. Mas o presidente ainda iria ouvir falar novamente daquele problema, quando o estrago se tornasse irreversível.

Uma mentalidade tão ultrapassada como essa não pode trazer bons resultados. Por isso, diretores tão poderosos como meu amigo acabam sendo demitidos. A pessoa olha para seu cargo e sente que ter de resolver problemas é quase uma desqualificação.

Quem trabalha olhando para o que está escrito em seu cartão de visitas em vez de atuar junto com a equipe enfrentando as dificuldades acaba vendo a empresa pelo lado de fora!

Crescer significa estar à frente da solução de problemas.

Infelizmente, muitos de nós somos influenciados por pessoas que fizeram sucesso no passado, mas que fracassaram no presente; ou, pior ainda, por gente que não teve sucesso nem no passado e nem no presente, mas quer ensinar o que não conseguiu aprender...

Ter um mentor é fundamental, mas você deve escolher alguém que esteja no lugar em que você quer chegar, pois, além de saber os caminhos, essa pessoa conhecerá os pontos em que o sapato aperta e, principalmente, quais são os problemas a serem resolvidos ao longo do percurso.

É preciso estar consciente de que metas ambiciosas significam grandes problemas a serem enfrentados. Assim, é possível vencer quando se tem claro que, quando uma meta é definida, é preciso superar as dificuldades do caminho que será percorrido até sua realização.

Pense bem: será que poderia haver sucesso ou êxito se não existissem problemas ou obstáculos a serem resolvidos? Será que o sucesso e o êxito não são exatamente o resultado de se vencer o que todos consideram dificuldades?

Há um aspecto curioso em relação à palavra êxito. Ela vem do latim *exitus* e significa saída, ou seja, um desfecho positivo, a solução de algo, a transposição de alguma adversidade. É a tal luz no fim do túnel.

Para vencer na vida, é necessária muita dedicação ao processo de fazer sumir as preocupações da vida dos outros.

Se você quiser subir na sua carreira, terá de ser a saída para os problemas dos outros.

MANTENHA A ENERGIA DA VIDA!

Em uma de nossas conversas, lancei a seguinte questão: *"Por que as pessoas se aposentam?"*.

"Porque cumprem seu tempo de serviço", meu amigo respondeu com tranquilidade.

Dei um sorriso um tanto desafiador e falei: *"Nem sempre. Frequentemente, as pessoas se aposentam porque estão cansadas de resolver problemas"*.

Ele não gostou muito da minha resposta.

Há pessoas que querem ser gerentes, mas vivem como aposentadas e ficam chateadas quando a empresa as manda viver como aposentadas em outro lugar.

Sucesso é gostar de superar dificuldades, mas a maioria das

Problemas? Oba!

pessoas tem outra ideia do que isso seja. Desse modo, entra na escada rolante que vai para o piso inferior da vida.

Grande parte das pessoas vive estressada, e por isso procura ter uma vida calma, sem sobressaltos. Então, quando alguém traz um problema, elas ficam perturbadas e tentam se afastar. Existe gente que odeia as dificuldades. Dentro de sua cabeça resmunga: "Leve esse problema para bem longe!". A ideia que essas pessoas têm de viver bem é uma rotina sem interferências. Imagine se nada acontecesse na sua vida? Que tédio! Que monotonia!

São essas mesmas pessoas que reclamam que sua carreira estagnou, porque são exatamente os desafios que nos impulsionam a seguir adiante.

Quanto mais sucesso, maior o tamanho dos problemas a serem resolvidos. É a dimensão dos seus problemas que mostra o quanto você cresceu.

Portanto, comemore quando alguém lhe trouxer um problema, porque você acaba de ganhar pelo menos uma dessas quatro oportunidades profissionais:

- Mostrar sua competência.
- Ser um profissional melhor.
- Melhorar sua empresa.
- Ganhar mais dinheiro.

Além do mais, existe também a chance de ter outros ganhos, que já abordei em todos os meus livros anteriores e que são também motivos nobres para nos propormos a resolver problemas dos outros:

- Ter a oportunidade de ajudar as pessoas.
- Poder se sentir importante e útil no mundo.
- Conseguir realizar sua missão de vida.

- Ajudar a construir um mundo mais justo.
- Contribuir para que as pessoas vivam melhor!

Sempre precisamos pensar se estamos simplesmente ocupando espaço na vida ou se estamos ajudando as pessoas a resolver seus problemas!

Olhe que coisa linda: vivemos em um mundo no qual quanto mais ajudamos as pessoas, mais ricos podemos ficar. É claro que não estou falando apenas de riqueza material, como você poderá perceber ao longo destas páginas.

Quem não consegue ajudar ninguém vai ficar fora do mercado, ou seja, o egoísta vai ver sua empresa quebrar enquanto o empresário que faz a felicidade de seus clientes vai ficar milionário.

Esse jogo vai ficar cada vez mais fascinante!

AS INVENÇÕES COMEÇAM COM ALGUÉM GRITANDO: "OBA!"

Sem sintonia com o sofrimento ou com o incômodo alheio, os grandes negócios são apenas assunto para uma conversa de bar. Quando alguém quer solucionar de verdade uma questão, acaba até inventando algo.

Quando um profissional descobre um problema para resolver e, mais que isso, quando fica chateado ao ver pessoas sofrendo com alguma situação, e por isso encontra uma solução inédita, ele se torna um inventor.

Para criar um tratamento para pacientes que estão morrendo de AIDS, uma pessoa tem de se sentir sensibilizada e triste a ponto de buscar a cura.

Para inventar o Skype, o sueco Niklas Zennström certamente se sentiu incomodado ao ver que pessoas queridas, que estavam longe umas das outras, não conseguiam se comunicar porque era

Problemas? Oba!

preciso gastar uma quantidade imensa de dinheiro com telefonemas, o que muitas vezes impedia o contato.

As invenções da humanidade, portanto, são resultado do empenho de profissionais que estão procurando resolver os problemas das pessoas. Qualquer invenção nasce disso. Quer ver um exemplo? Pegue algo muito comum: uma caneta esferográfica. Você já parou para pensar por que existe esse tipo de caneta? Por que será que alguém se deu o trabalho de criar um objeto desses? É tão parte de nossa rotina que nem imaginamos mais a vida sem ela.

A história é bem interessante. Antes da caneta esferográfica, o recurso "portátil" que as pessoas tinham para escrever era a caneta-tinteiro. A caneta era um sucesso, mas havia muitos inconvenientes. A caneta-tinteiro precisava ser constantemente recarregada, a tinta sujava as mãos e as roupas das pessoas, muitas vezes borrava o papel e a mensagem tinha de ser reescrita, além de demorar para secar (era até necessário o mata-borrão e um pozinho que se jogava sobre a tinta, para ela secar mais rapidamente).

Além disso, a pessoa precisava levar tinta consigo constantemente para recarregar a caneta, que entupia se não fosse bem fechada, pois a tinta secava no tubo.

Na década de 1930, o jornalista húngaro László Bíró, certamente incomodado e cansado de ver tantas pessoas sofrendo com os transtornos das canetas-tinteiro, decidiu procurar uma alternativa. Resolveu o problema colocando uma esfera minúscula na ponta de uma caneta, e instalou um tubinho com tinta para que ela carregasse a própria carga. E ainda a fez barata o suficiente para ser jogada fora quando a tinta acabava.

A solução foi competente e genial! Você imagina o que se ganhou e o quanto se ganha hoje com a fabricação e o comércio de canetas esferográficas? Tenho certeza de que muita gente não para de falar: "Oba!".

A internet é outro exemplo de sucesso de alguém que estava procurando resolver problemas.

No final da década de 1960, época da guerra fria, os Estados Unidos tinham grande preocupação sobre o que fazer se houvesse um ataque localizado aos computadores gigantes que guardavam informações fundamentais e estratégicas sobre operações militares e políticas do país.

Esse era um grande problema.

Os cientistas e os pesquisadores da computação, na época, procuraram um meio de descentralizar as informações, mas ao mesmo tempo mantê-las conectadas.

O temor de uma guerra nuclear era imenso. Enquanto algumas pessoas simplesmente se fechavam preocupadas em seus medos, outras procuravam soluções.

Foi nesse clima que surgiu a internet. No começo, seu objetivo era resolver um problema militar. Depois, ela se ampliou além desse objetivo e se transformou em um instrumento que influencia todos os setores da nossa vida de hoje.

Ao falar desses assuntos com meu amigo, perguntei a ele: *"Quando uma 'caneta-tinteiro da vida' mancha a sua roupa, você reclama do fabricante ou exclama 'Problemas? Oba!' e procura criar uma solução para o problema?"*.

Ele fez uma cara de espanto e não conseguiu responder. Então continuei falando:

"Olhe para quem tem permanentemente a conta negativa no banco e olhe para quem é um feliz proprietário de um iate ou de um helicóptero. Veja como é fácil reconhecer qual dos dois reclama da vida e qual deles procura todos os dias inventar uma 'caneta melhor'."

Pare para refletir: você prefere reclamar ou inventar soluções para os problemas do mundo?

PROBLEMAS? OBA!

RESOLVER UM PROBLEMA É UMA OPORTUNIDADE
DE MELHORAR-SE COMO PROFISSIONAL

Houve um dia em que meu amigo desabafou e me perguntou: *"Roberto, com tantas mudanças, eu me sinto muito incompetente para resolver os problemas que aparecem. E o pior é que parece que as pessoas não me procuram quando estão com dificuldades."* Fiquei feliz porque ele estava se abrindo para esse novo mundo e respondi:

"Existe uma dinâmica entre ser procurado para resolver um problema por ser competente e se tornar mais capaz à medida que você resolve dificuldades. Na verdade, as pessoas se tornam mais competentes à medida que elas resolvem problemas. E passam a ser procuradas quando os outros percebem que elas superam desafios. Cada vez que você resolve uma situação difícil, descobre competências que nem imaginou possuir. Aí o reconhecimento dos outros acontece."

Os melhores profissionais são forjados no fogo, ou seja, nas situações mais problemáticas. São esses que conseguem ter controle emocional e capacidade de agir sob pressão em tempos ou ocasiões difíceis, trazendo, assim, bons resultados.

É como diz o ditado: "Um rei de verdade é feito de aço e de lutas".

Tenho admiração especial pelo engenheiro Luiz Eduardo Falco, que tem no currículo a presidência de grandes empresas. Eu o conheci na TAM, na época em que era vice-presidente da empresa, e seu batismo de fogo aconteceu na queda do avião do voo 402. O comandante Rolim estava fora do país e Falco teve de cuidar da crise sem o suporte dele.

Naquele ano, apesar da catástrofe sofrida, a TAM recebeu o prêmio de melhor empresa do país. E tenho certeza de que a atuação de Falco na ocasião foi fundamental para esse reconhecimento. Ele tinha duas opções: poderia sumir na crise ou assumir a crise. Ele cresceu porque teve a coragem de enfrentar os desafios que apareceram diante dele.

Depois de superar uma tragédia em que tantas pessoas perdem a vida, todos os problemas que surgem parecem ficar mais fáceis de ser resolvidos. Por isso, quem se destaca quando a situação está ruim tem muito mais vantagem quando tudo está bom.

Quem nunca precisou lidar com problemas não tem o jogo de cintura e a desenvoltura necessários para solucionar coisas complicadas. Não tem a pele grossa para receber as pancadas da vida.

Quando você precisa de um profissional, tenho certeza de que você quer alguém experiente em lidar com situações difíceis e resolvê-las. Ou você prefere um piloto de avião que fará seu primeiro voo justo na sua viagem?

Quando contrato um gerente para minhas empresas, pergunto antes sobre qual foi a pior dificuldade que enfrentou em sua carreira. Quem responde com um problema pequeno não continua no processo de seleção. Quero trabalhar com pessoas que não fogem na hora da dificuldade.

Há algum tempo, um jogador reclamou da pressão que era jogar no Sport Club Corinthians Paulista. Os jornalistas foram falar com Wanderley Luxemburgo, o treinador do time na época, para saber o que ele achava disso. Ele respondeu: "Diga a ele que se estiver cansado dos problemas daqui pode ir jogar em um time da segunda divisão".

Vou repetir para ficar muito claro:

Problemas maiores = ascensão

Problemas menores = decadência

O mundo dos esportes tem excelentes exemplos de que enfrentar problemas é uma oportunidade para mostrar a força da sua alma.

Algum tempo atrás, no São Paulo Futebol Clube, o atacante do time profissional se contundiu e por isso chamaram o jogador titular do time júnior para ser o novo reserva do time principal.

Problemas? Oba!

Acontece que esse jogador foi convocado para a seleção nacional sub 20. E o time principal precisou chamar para a reserva um jogador que era reserva do time amador.

O time foi participar da final do torneio Rio-São Paulo. No final do jogo, o São Paulo estava perdendo, o atacante titular estava jogando mal e o técnico pôs em campo o reserva do time amador. E o garoto jogou muita bola. Deu um show! Marcou dois gols, resolveu a situação do time e ganhou muito prestígio.

O nome dele? Kaká.

Alguns meses depois, ele foi convocado para a seleção brasileira e foi campeão do mundo em 2002. O restante você conhece: uma história de sucesso construída em cima da capacidade de resolver os problemas do treinador e do time.

Se Kaká tivesse vacilado e pensado que não era capaz de jogar bem, por estar entre profissionais, talvez nunca se tornasse o astro que é hoje. O time dos juniores era mais tranquilo, mas ele estava disposto a enfrentar problemas maiores.

Acredite em você quando as dificuldades aparecerem na sua carreira. Não tenha medo de enfrentá-las. Vá com tudo para cima delas!

Lembro-me bem da primeira vez em que tive de fazer sozinho uma cesariana. Eu trabalhava em um hospital público e havia uma falta de médicos crônica. Eu tinha experiência de operar com um professor ao meu lado, mas nunca tinha feito isso sem supervisão.

Certo dia, uma enfermeira me avisou que o chefe da obstetrícia estava me chamando no centro cirúrgico. Fui até lá e vi que ele estava fazendo uma cesariana. Ele me disse: "Há outra paciente urgente aqui. O bebê está com sofrimento fetal e a frequência cardíaca está alta. A vida dele está correndo risco. Se a cesariana não for feita já, é morte certa. Vai lá e opera a paciente!".

Não deu nem tempo de eu ficar nervoso, pois o risco de o bebê morrer fez com que me preparasse para a cirurgia na velocidade de um raio. Felizmente, tudo deu certo. Porém, mesmo que algo tivesse dado errado, eu teria a certeza de que não me omiti quando precisaram de mim.

Ter começado minha carreira em um centro-cirúrgico me deu uma confiança muito grande. Hoje, quando tenho algum problema e pessoas ao meu redor estão nervosas, eu me acalmo e procuro acalmar a todos, pois mesmo que tudo dê errado e o pior aconteça, ninguém estará correndo risco de morrer.

Ao final da conversa daquele dia, perguntei ao meu amigo: *"O que você precisa fazer para ter problemas maiores para resolver?"*.

Disse ainda a ele: *"Sempre que você é entrevistado para um emprego, no fundo, o entrevistador olha para você procurando a resposta para três perguntas:*

1. *'Essa pessoa é honesta?'. Tenho certeza de que você é aprovado nessa questão.*
2. *'Essa pessoa é competente?'. Minhas dúvidas começam aí, já que você tem estado distante.*
   E a pergunta definitiva:
3. *'Será que posso contar com essa pessoa na hora de uma dificuldade?'*

Somente depois de obter três respostas satisfatórias, ele telefonará para você ou agendará a segunda entrevista do processo de seleção. Acho que você precisa mostrar muito claramente que pode resolver problemas quando eles aparecerem."

O que você acha que transmite às pessoas?

RESOLVER UM PROBLEMA É UMA OPORTUNIDADE DE CRIAR UMA EMPRESA SENSACIONAL

Algum tempo depois, meu amigo chegou até mim muito triste: *"Tenho aceitado participar de entrevistas para o cargo de gerente, mas ainda não consigo fazer com que o pessoal de recrutamento e seleção me convoque para a segunda entrevista."*

"Você precisa mostrar durante a conversa que é capaz de resolver os problemas de quem o está contratando. Mas, para isso, você precisa rever seus conceitos sobre o que é uma empresa moderna."

Comecei então a falar a ele sobre algumas novas ideias. Lancei uma pergunta:

"Por que as empresas competem?"

"Porque querem vender seus produtos e serviços, disputando os clientes e o mercado."

"Não! Lembre-se de que as pessoas não querem comprar produtos ou serviços. Elas querem resolver seus problemas! Portanto, as empresas devem competir para ver quem resolve melhor os problemas dos clientes. Por isso você precisa ser capaz de ajudar a construir uma empresa que consiga resolver mais e melhor os problemas de seus clientes."

A Virgin Airlines conquistou milhares de clientes dispostos a pagar mais pelo ticket de viagem simplesmente porque começou a buscar as malas de seus passageiros no hotel e deixar o check-in pronto para eles.

A empresa percebeu que os executivos em viagem tinham pouco tempo para cuidar da bagagem. Imaginaram uma executiva em viagem de negócios tendo de chegar a uma reunião em que sua imagem é fundamental carregando sua mala, ou, pior ainda, tendo de usar o tempo que seria dedicado ao trabalho para passar no hotel para pegar a bagagem. Quanto vale esse tempo e a imagem da profissional? A Virgin Airlines resolveu o problema.

Outro exemplo são as companhias de seguros. Muitas já entenderam que as pessoas não querem comprar seguros; elas querem, na realidade, comprar noites de sono. Por isso, quem quer vender seguro tem de vender tranquilidade.

Várias seguradoras ainda não perceberam isso e fazem da vida do cliente um verdadeiro inferno, pois ele precisa obrigá-las a cumprir o que está no contrato. Esse tipo de empresa está ficando para trás, felizmente.

Para um cliente, a pior coisa que existe é não ter com quem falar quando ele tem um problema. Para a empresa, um dos piores problemas que podem aparecer é ter um cliente insatisfeito.

Exemplo disso, que todos conhecem, é o mau atendimento em um *call center*. É tão comum que é até alvo de piadas. As pessoas telefonam, o atendente não resolve, passa para outro, deixa o cliente pendurado no telefone por horas, a linha cai...

Todos conhecem esse transtorno! E suas consequências para a empresa são péssimas, pois sua reputação, sua imagem e sua competência ficam comprometidas.

Muitas pessoas hoje compram passagens aéreas pela internet, mas as agências de turismo ainda mantêm seus clientes porque os atendem na hora das emergências. Você já tentou remarcar um voo comprado no site de uma companhia aérea?

O panorama empresarial está mudando. Cada vez mais tenho feito palestras para empresas que querem ver os clientes felizes.

Um dos maiores bancos brasileiros tem o objetivo de ser o banco número um em atendimento ao cliente no mundo. O banco tem a consciência de que um cliente feliz dá mais lucro para a empresa. Por isso, sua política é: "O cliente tem um problema? Oba! Essa é uma grande oportunidade de cativá-lo".

Sua empresa resolve os problemas de seus clientes? Você ajuda sua empresa a resolver os problemas dos clientes? Você tem de mostrar que é capaz de solucioná-los.

PROBLEMAS? OBA!

Nizan Guanaes, um dos maiores publicitários da história deste país, ficou milionário resolvendo os problemas dos clientes dele. Na década de 1990, ele fez uma campanha publicitária para a Dunkin Donuts que é um exemplo sensacional dessa atitude. A empresa fabrica o Donuts, que é delicioso, mas possui "1 bilhão" de calorias. Em tempos de alimentação saudável, de corpos esbeltos e de patrulha por bons hábitos, pode ser complicado fazer publicidade de um produto assim.

Nizan percebeu que os gulosos gordinhos seriam os clientes mais entusiasmados para o doce. Mas eles tinham um gordo problema: queriam, mais que ninguém, experimentar o novo Donuts, mas estavam completamente proibidos de fazer isso, para não levar bronca de amigos e parentes "política e nutricionalmente corretos".

Nizan Guanaes precisava encontrar uma maneira de autorizar os gordinhos a experimentarem o Donuts. Usou toda a sua criatividade e se superou espalhando *outdoors* pelo país, em que havia uma foto maravilhosa do novo doce e uma frase: "Gordos: comam escondidos". Criativo e genial!

O desfecho que ele deu à situação reverteu-se em prestígio para sua carreira, em faturamento para seu cliente e em prazer para os consumidores. Ele ajudou a Dunkin Donuts a resolver um grande problema. E isso fez toda a diferença.

Deixo aqui uma questão para você discutir com sua equipe: qual é o problema dos seus clientes que vocês resolvem? Vocês estão resolvendo esse problema de verdade, ou apenas fazendo de conta que resolvem? Depois de algum tempo, ligue para seus clientes e pergunte se vocês realmente entregaram o que prometeram.

Se você quiser montar seu negócio e ter sucesso, faça sempre a seguinte pergunta a si mesmo: qual é o problema que vamos ajudar as pessoas a resolver?

A empresa que resolver melhor os problemas de seus clientes vai poder dizer: "Oba! Estamos na frente!".

RESOLVER UM PROBLEMA É UMA OPORTUNIDADE DE GANHAR MAIS DINHEIRO

"Roberto, então esse é o segredo para alguém se tornar milionário? Resolver problemas?"

Sabe por que o site www.buscape.com foi vendido por 342 milhões de dólares para o grupo Naspers? Simplesmente porque resolve o problema dos clientes que querem comparar preços de um produto antes de definir uma compra.

Quando eu era criança, lembro-me de sair com minha mãe e entrar em várias lojas perguntando o preço de um produto antes de ela resolver onde comprar. Mesmo há pouco tempo, entrávamos em vários sites para descobrir qual era o fornecedor com as melhores condições.

Hoje em dia, porém, ninguém tem mais tempo de ficar pesquisando. Por isso, o Buscapé tem tanto valor, pois compara fornecedores e aponta a melhor opção sem que precisemos gastar horas ou energia com isso.

Outro exemplo é o site www.kayak.com. Esse serviço integra vários sites de ofertas de voos, hotéis, aluguel de carros etc., e mostra a melhor opção. O site faz o trabalho por você. Daqui a algum tempo, tenho certeza de que vai ser vendido por algo próximo a 1 bilhão de dólares.

Como esses empreendedores digitais fazem tanto dinheiro em tão pouco tempo? Vamos pensar juntos. Hoje, as pessoas estão muito mais cuidadosas com seu dinheiro. Elas não gastam com qualquer coisa.

Todos trabalham muito para ganhar dinheiro. Logo, para a pessoa tirá-lo de sua carteira e comprar alguma coisa, precisa haver um motivo muito forte.

A menos que você seja um esbanjador, não desperdiçará seu suado dinheirinho com o que não vale a pena.

Então me diga: quando é que você tira qualquer valor da carteira com mais facilidade? Quando você dá seu dinheiro para alguém em troca de algo?

Quando você tem um problema! E um problema, aqui, pode ser uma urgência, uma necessidade enorme ou uma motivação forte, como a ameaça de seu filho repetir o ano, ou o presente de aniversário de casamento que você esqueceu de comprar.

Então analise por outro ângulo: como você pode ganhar dinheiro? Ou como pode ganhar *mais* dinheiro? Como fazer as pessoas abrirem a carteira delas para você?

Nem preciso dizer, não é? A melhor maneira de fazê-las assinar um cheque e dá-lo a você é resolvendo problemas para elas.

Se você quiser abrir um negócio, faça com base na solução de problemas.

Se você é assalariado, manterá seu emprego, conseguirá promoções e melhores salários quanto mais conseguir resolver problemas para a companhia para a qual você trabalha.

Se você é profissional liberal, busque fazer uma prestação de serviços excelente e diferenciada, que resolva as demandas que existem.

Se você trabalha por conta própria – fazendo doces, por exemplo –, foque no prazer que as pessoas buscam nos seus produtos.

Enfim, se você se tornar capaz de ajudar pessoas a resolver os problemas que elas têm, o negócio estará feito. Basta partir para o trabalho que o dinheiro e o reconhecimento virão.

Quanto maiores forem os problemas e melhores forem as suas soluções, mais sucesso você terá!

Então, comece a procurar problemas para solucionar!

O MUNDO TEM CADA VEZ MAIS PROBLEMAS (OU SEJA, MAIS OPORTUNIDADES)

Alguns dias depois de nossa última conversa, meu amigo me ligou. Estava muito contente porque havia arrumado um emprego por indicação de um ex-assistente dele, que havia se tornado diretor de uma empresa.

Percebi que a alegria estava misturada a certa frustração, pois ele iria trabalhar em um cargo abaixo do que estava acostumado e recebendo ordens de alguém que havia sido um funcionário de sua equipe.

Senti que isso o incomodava, mas comemorei a oportunidade que ele teria de aplicar as novas ideias que estava assimilando.

O tempo passou e, depois de algumas semanas, recebi um e-mail dele em que pedia para termos uma nova conversa.

Ele havia sido demitido! Estava muito magoado por não ter sido valorizado por seu ex-funcionário. Fez todos os tipos de acusações e reclamações possíveis, mas não fez o mais importante: não analisou o próprio desempenho.

Depois de algum tempo destilando sua dor, despediu-se prometendo que me telefonaria para agendarmos outro encontro, mas meses se passaram até que eu recebesse uma ligação para marcar uma nova conversa.

Quando nos encontramos, vi que tinha um aspecto ainda abatido. Sem muitos rodeios, lançou seu questionamento:

"Roberto, tenho pensado muito em nossas conversas. E fiquei com a pergunta: por que resolver problemas é tão importante?"

Respondi sem nenhuma pressa:

"Porque todo mundo está lotado de problemas e quer se livrar deles para poder continuar a vida."

"Sabe, tenho a impressão de que hoje em dia existem muito mais problemas do que antigamente."

PROBLEMAS? OBA!

"Isso não é impressão, meu amigo. É fato."
Para todos os lugares que você olhar, vai encontrar problemas.
Lendo o jornal, as revistas ou as notícias da internet, verá que somos uma ilha cercada de problemas por todos os lados. Se conversar quinze minutos com seu colaborador ou com seu superior, vai sair dessa conversa com pelo menos um problema com que se preocupar.

Chovem problemas em todas as conversas profissionais: aumento da concorrência, pessoas não éticas, clientes que reclamam, vendas baixas, clientes sem verba para comprar seu produto, seu melhor colaborador foi trabalhar na concorrência, problemas técnicos e tecnológicos, a fábrica que não produziu para entregar o que foi vendido, os vendedores que não conseguiram vender o que foi fabricado...

A cada dia, mais e mais problemas batem à nossa porta.

A concorrência no mundo de hoje está muito mais acirrada. Antes, concorria-se com empresas locais, mas hoje, com a globalização, qualquer fabricante ou prestador de serviços de qualquer país pode ser seu concorrente.

Com a velocidade da comunicação, com as pessoas conectadas 24 horas ao dia, com aparelhos ligados à internet, a exigência de respostas, de prontidão e de atitudes é muito maior.

A cobrança é instantânea. Se não houver agilidade, alguém passa à sua frente. Se você não resolver um problema, outro o ultrapassa, resolve e deixa você para trás.

Também por causa da conexão contínua à internet, as pessoas e as empresas estão mais expostas. A vida das pessoas e as estratégias empresariais estão escancaradas para quem quiser ver.

Hoje, o passado não fica mais esquecido lá atrás. Ele é presente, registrado nas redes sociais. Um celular virou uma câmera fotográfica que consegue registrar qualquer deslize; um comentário comprometedor na web pode mandar sua reputação para o espaço, porque qualquer um poderá ver quase imediatamente o que acontece com você.

"Atualmente, há muito mais problemas no mundo corporativo por vários motivos. Pegue um papel e liste rapidamente as causas dessa imensidão de problemas que vêm à sua cabeça."

Depois de alguns minutos, ele me entregou uma lista, na qual se podia ler:

- As empresas estão cortando custos.
- Os produtos são lançados sem testes adequados.
- Os clientes estão cada vez mais exigentes.
- As pessoas querem as coisas para agora!
- A facilidade de comunicação não perdoa o deslize de ninguém.
- As pessoas estão deixando os princípios de lado.
- As pessoas vivem angustiadas e sob pressão.

"Essa lista pode ficar maior ainda. São muitas as causas de tantos problemas, o que deixa as pessoas em um estado permanente de preocupação."

Observe os remédios mais vendidos no Brasil. Eles procuram tirar as preocupações da vida das pessoas. São simplesmente paliativos, não resolvem o problema de fato, mas as pessoas acabam comprando muito:

- Ansiolíticos para esquecer as angústias.
- Relaxantes musculares para aliviar as tensões.
- Analgésicos para atenuar as infinitas dores do corpo.
- Remédios para impotência sexual para resolver a dificuldade de ereção.

Disse então, olhando nos olhos de meu amigo:

"Esse é o retrato da vida das pessoas: preocupações com seus problemas. Não quero ser cruel, mas devo dizer que, provavelmente, seu diretor dispensou seus trabalhos porque você não tirou algumas preocupações da vida dele. Os problemas dele não estavam sendo resolvidos."

Meu amigo me olhava atônito. Fez-se um silêncio de alguns poucos e longos minutos.

"Eu me sinto no meio de um furacão. Quer dizer que eu preciso ajudar a tirar as angústias que as pessoas sentem por causa dos problemas?"

"Sim. Quem não resolve uma encrenca se torna, ele mesmo, um problema."

Ficou pensativo e apreensivo; em seguida suspirou:

"Mas, Roberto, quando tudo isso vai melhorar? Quando vamos voltar aos velhos tempos?"

O MUNDO NÃO VAI FICAR MAIS SIMPLES

"Não se iluda: as empresas têm e continuarão tendo cada vez mais problemas. O mundo vai ficar cada vez mais complexo. As coisas não serão mais fáceis! Esse tempo não vai voltar. E isso é bom!"

"Bom?!"

"Sim! Você ainda não entendeu! As pessoas vão poder cada vez mais gritar 'Problemas? Oba!' porque estarão diante de oportunidades de servir melhor o cliente."

Muitas pessoas gostariam que o mundo dos negócios fosse uma mãe afetuosa, que passasse a mão na sua cabeça e dissesse: "Calma, filho, isso não é nada, já vai passar...". Mas acorde! Não é assim.

Você já parou para pensar que cada vez que alguém resolve o problema de uns cria problemas para outros?

Há 50 anos, havia duas marcas de tênis no mercado. Um tênis se chamava Conga e outro se chamava Bamba. Nada mais simples para as famílias: quando o filho crescia, bastava ir à loja de calçados e comprar um novo par de um desses dois modelos. Quando lançaram um terceiro modelo, foi uma sensação. Os consumidores adoraram. No entanto as empresas que dominavam o mercado arranjaram um grande problema.

Observe a concorrência que existe hoje. Como estão as equipes das empresas fabricantes, tendo em vista que há dezenas de modelos diferentes de tênis? Imagine a dor de cabeça que é ter de lançar um novo modelo para concorrer com todos os outros!

Isso acontece com todos os mercados. De sabonetes a xampus, de revistas a alimentos, de carros a brinquedos, de produtos de limpeza a canais de televisão.

O mesmo se repete com os serviços. Experimente abrir uma padaria hoje. Ou um salão de cabeleireiro. Você acha que basta abrir as portas e esperar os clientes levarem seu dinheiro até você? De jeito nenhum! É preciso batalhar muito para vencer a concorrência em meio a tantas opções que existem hoje.

Com a tecnologia, a complexidade das coisas cresce a uma velocidade vertiginosa. Há bem poucos anos, um rádio de pilha possuía cinco transistores (a célula básica dos aparelhos eletrônicos). Hoje, cada chip tem milhões de transistores.

Em 2009, o planeta produziu 10 quintilhões de transistores. Isso mesmo: o número 1 seguido de 19 zeros!

Existem mais transistores que grãos de arroz no planeta. E mais: um transistor é mais barato que um grão de arroz. Custa muito menos e a tendência é ficar cada vez mais barato.

Em 1965, Gordon Moore, então presidente da Intel, previu que o número de transistores por chip dobraria a cada 18 meses. A previsão foi tão certeira que acabou ganhando o apelido

PROBLEMAS? OBA!

de "Lei de Moore". Tudo indicava que o limite estava próximo de ser atingido por limitação física do chip, que é plano, como uma folha impressa.

Então, a própria Intel anunciou, em 2011, um chip tridimensional que permite instalar mais transistores na mesma área, o que aumenta a capacidade e a velocidade e diminui em 50% o consumo de energia. Esses superchips serão usados em novos aparelhos, que farão novas coisas, para atender novas necessidades. Sabe o que acontece quando o número de transistores dobra? O mundo fica 100% mais complexo, exigindo gente 100% mais competente.

Pode apostar: o mundo não vai ter pena de você. Vai escolher as pessoas 100% mais competentes.

As empresas vão cortar cada vez mais custos, vão lançar cada vez mais rápido e sem testes, os clientes vão ficar cada vez mais exigentes, as coisas serão exigidas cada vez mais "para já" e a comunicação vai expor os mínimos erros e deslizes.

Por isso, o mundo vai escolher os profissionais que ficam felizes quando encontram um problema pela frente e tratam de resolvê-lo. Vai escolher os empreendedores que ficam felizes quando lançam um produto que resolve um problema de seus clientes.

"Meu amigo, quando você for contratado novamente, pergunte ao seu superior quais são os problemas que estão tirando o sono dele e procure resolvê-los. Na verdade, seu diretor quer alguém que lhe garanta noites bem dormidas. Tenho certeza de que quando você aprender a fazer isso, sua vida vai voltar a ter o esplendor de antigamente."

Ele sorriu com alegria. Mas, sinceramente, achei que no fundo ele estava pensando mais nos prêmios que no trabalho.

O jeito errado de lidar com os problemas

Quando falei novamente com meu amigo, ele me contou que havia tido a oportunidade de conversar com o diretor que o havia contratado e demitido algumas semanas depois:

"Nosso diálogo foi franco, mas tive de escutar que eu estava equivocado. O diretor disse que minha atitude mostrava que eu não considerava os problemas do departamento como minhas prioridades. Fiquei muito chateado..."

"Meu amigo, entenda bem: o sucesso é uma escolha. Chegar antes do horário marcado é uma escolha que promove o sucesso. Da mesma maneira, atrasar-se é uma opção que leva ao fracasso."

"Sim, mas meu ex-chefe não reconhece o quanto de energia eu estava investindo naquele trabalho. Fui muito injustiçado, ele não tinha o direito de fazer o que fez! Depois de tudo o que aconteceu..."

Falei firme com ele:

"Você quer que eu sinta pena ou admiração por você?"

Minha pergunta pareceu pegá-lo de surpresa.

"Como assim, Roberto?"

"Não é possível ter os dois sentimentos ao mesmo tempo. Se eu

tiver pena de você, não vou conseguir admirá-lo. O mesmo acontece com os relacionamentos profissionais: seu chefe não pode ter pena e admirar você ao mesmo tempo.

Você merece ser admirado porque é inteligente, guerreiro e capaz, mas está usando sua energia do lado errado. Uma escolha, e somente uma, pode mudar sua vida para sempre.

Lembre-se, como Confúcio disse: 'O homem que comete um erro e não o corrige está cometendo outro erro'.

Se você mantiver sua vida na direção de se sentir injustiçado, vai ter resultados cada dia piores. E há somente uma coisa pior que caminhar na direção errada: caminhar na direção errada com determinação.

Uma simples mudança de rota pode mudar toda a sua vida."

Naquele dia, ele saiu revoltado com nossa conversa. Seu respeito por mim o impediu de ser mal-educado, mas a velocidade com que saiu da minha sala mostrou que ele não havia gostado nada do que eu tinha falado.

No entanto, algum tempo depois, ele voltou. Estava meio depressivo.

"Por que as pessoas não veem os problemas que precisam ser resolvidos?", perguntou.

"Porque as pessoas lidam com os problemas de modo equivocado, tentando a todo custo evitá-los."

Em geral, quando as pessoas se deparam com um problema, a tendência é tentar fugir dele, contornar, ignorar – ou seja, fazer de tudo para não ter de enfrentá-lo e resolvê-lo, escapando do desafio.

Muitos até trabalham para a solução, mas frequentemente encaram a situação de maneira muito negativa, com amargura e pessimismo. A maior parte das pessoas que faz isso costuma tomar uma das seguintes atitudes:

- Negar o problema.
- Culpar terceiros pela situação.
- Ficar na passividade.
- Dar desculpas por não ter feito o que era preciso.

Negação: o problema não existe!

Agir como um avestruz é perigosíssimo!

É proibido enfiar a cabeça no buraco para não ver os problemas à sua volta. Em geral, quando uma pessoa faz isso, as consequências podem ser devastadoras, pois problemas ignorados e não resolvidos podem piorar ou aumentar.

Lembre-se: "Problemas são como despertadores. Se não forem desligados direito, eles vão tocar novamente".

Muita gente nega as dificuldades enquanto pode e, para tolerar a ideia de sua existência, até arruma explicações simplistas e irreais, apenas para não ter de enfrentar o fato como ele é.

Se em uma empresa as vendas estão caindo sistematicamente, semana após semana, há pessoas que simplesmente alegam: "Não estamos com problemas de vendas. Os números dessas últimas semanas mostram queda porque as pessoas devem estar economizando para o final do ano". Ou então: "O problema são as chuvas da temporada, que estão impedindo que as pessoas saiam de casa para comprar".

Em vez de enfrentar a realidade e admitir que há um problema a ser resolvido, há pessoas que apenas agem como se ele não existisse e apostam que a situação por si só vai mudar. E dizem: "As vendas de Natal vão recuperar o faturamento". Pensam assim buscando uma espécie de consolo em um otimismo infundado.

PROBLEMAS? OBA!

PROCURAR CULPADOS EM VEZ DE PROCURAR SOLUÇÕES

Não procure saber quem errou. Coloque toda a sua energia para resolver o problema.

Infelizmente, quando um problema aparece, há muitas pessoas que começam um interrogatório para descobrir quem falhou e não se ocupam em procurar uma solução.

Quando você procura um culpado para os problemas, já está dando o primeiro passo para o prejuízo. Enquanto procura culpados, lembre-se de que o concorrente está buscando soluções e trabalhando nos resultados.

Acusações só geram desagregação no ambiente de trabalho. Procurar culpados é como jogar gasolina para tentar apagar um incêndio. Um líder competente não acusa ninguém. Se houve falhas, ele assume junto com a equipe.

Quando se deparar com um problema, assuma a responsabilidade, pare de acusar os outros e busque resolver a situação quanto antes. Mostre a todos sua capacidade de liderar no momento crítico.

Você só pode fazer algo a respeito de qualquer coisa quando chama para si a responsabilidade de agir.

O foco certo sempre conduz à vitória!

PASSIVIDADE: NÃO FIZ NADA PORQUE...

Infelizmente, muitas pessoas ficam passivas diante de um problema.

Há pessoas que simplesmente não agem. Assistem à desgraça e não mexem um músculo para tentar ajudar. Estão vendo a iminência de um desastre e ficam paradas, sem ação. São pessoas treinadas em "deixar como está para ver como é que fica".

Quer ver um exemplo? Quando estiver em um hotel e acontecer

qualquer problema, experimente procurar um gerente. A maioria deles some...

Geralmente, essas pessoas se omitem porque se sentem incapazes de resolver o problema. Sentem-se pequenas diante das dificuldades.

Não percebem que poderiam fazer alguma coisa, mesmo que não fosse a melhor solução, mas que talvez evitasse o pior. Também não aprenderam a confiar na sua capacidade de resolver a situação, ou pelo menos de encontrar alguém que soubesse o que fazer.

Há outras pessoas que se omitem porque querem ver o "circo pegar fogo". Quando aparece um problema, pensam: "Alguém vai se dar mal nessa história". Há ainda as que não fazem nada nas situações complicadas porque querem mostrar poder. São do grupo do "quanto pior ficar, melhor". Um exemplo disso são aquelas pessoas que boicotam projetos que não foram ideias delas.

O que essas pessoas têm de perceber urgentemente é que a empresa toda está vendo sua atuação. Depois de um tempo, elas podem até mesmo virar tema das piadas. E aí, sim, terão arrumado um belo problema. Para elas mesmas.

DAR DESCULPAS E JUSTIFICATIVAS

O modo mais comum de as pessoas justificarem sua falta de ação e ao mesmo tempo tentar mostrar que são comprometidas, mas que não puderam fazer nada para resolver um problema, é dar desculpas.

Isso é muito comum quando não se consegue cumprir prazos ou completar tarefas a tempo. "Ontem faltou energia elétrica, por isso não conseguimos terminar o projeto".

Fico indignado como há tantas pessoas que não têm a mínima

noção da importância de respeitar os prazos. O projeto está aprovado, o cliente está esperando e simplesmente as pessoas aparecem com uma desculpa para não terem feito o que prometeram. Quem não cumpre prazos e inventa uma desculpa ou justificativa, sem perceber, está dizendo aos outros:

- Sou incompetente.
- Não gosto desta empresa.
- Não me importo com os resultados.
- A única coisa que eu quero é receber meu salário no final do mês.

Quem quer fazer algo encontra um jeito e faz. Quem entende a importância de cumprir vai e cumpre.

Certa vez, um editor de arte de uma revista famosa tinha de entregar a edição do mês diagramada para a gráfica na manhã seguinte, mas precisava ainda revisar todo o trabalho. Levou a tarefa para terminar em casa, porém, houve um problema com a energia elétrica de seu bairro, com o trabalho ainda pela metade.

Depois de pensar nas alternativas possíveis, ele levou seu material de trabalho para a garagem, acendeu os faróis do carro e ficou ali até terminar a revisão. No dia seguinte, a revista estava na gráfica logo cedo, indo depois para as bancas no dia esperado pelos leitores.

Quando alguém dá desculpas por não fazer o que é preciso, compromete a empresa e abala a própria carreira profissional. Existem casos ainda piores: quando a pessoa nem se dá ao trabalho de justificar sua falha.

As pessoas olham em nossos olhos e sabem se estamos genuinamente interessados nos problemas delas. Quando não demonstramos esse interesse legítimo, tudo começa a travar.

Existe uma história muito engraçada sobre dar desculpas que

é útil para ilustrar como justificativas são descabidas em qualquer situação.

Um casal havia acabado de se mudar para uma casa que ficava ao lado da linha do trem. Todas as noites, quando o casal já estava dormindo, o trem passava e a trepidação fazia a porta do guarda-roupa se abrir no quarto. O barulho fazia o casal acordar assustado e aquilo já estava prejudicando suas noites de sono.

O marido pediu para a mulher resolver o problema. A mulher foi atrás de um marceneiro e pediu que ele consertasse a porta do guarda-roupa. O homem fez o trabalho, só que à noite, quando o trem passou, a porta abriu novamente, acordando o casal. O marceneiro não havia conseguido solucionar.

No dia seguinte, a mulher chamou o marceneiro e reclamou. E falou para que ele ficasse lá até ter certeza de que havia resolvido a questão. O marceneiro fez de novo o reparo, mas para garantir que o problema não se repetiria, resolveu ficar lá até o trem passar.

O marido chegou à noite em casa e foi até o quarto para trocar de roupa. Abriu a porta do guarda-roupa e deu de cara com o homem lá dentro. Irritado, já pensando na mulher, gritou com ele: "O que significa isso? O senhor pode me explicar o que está fazendo aí?". E o pobre marceneiro: "O senhor não vai acreditar, mas estou esperando o trem passar..."

Deixo uma questão para você refletir enquanto toma um suco: você resolve os problemas ou explica por que não fez?

PROBLEMAS? OBA!

ATENÇÃO PARA AS CONSEQUÊNCIAS DE
NÃO RESOLVER OS PROBLEMAS

Na sequência, meu amigo desabafou:

"Sim, Roberto, mas as pessoas são muito apressadas, principalmente esses jovens da tal 'geração Y'. Eles querem tudo para ontem. Para que tanta pressa? O que não é possível ser feito hoje pode ser feito amanhã..."

Já sem tanta paciência, falei:

"Quando alguém não resolve os problemas, pode ter certeza de que existe uma chance enorme de tudo piorar. Um problema é sempre um aviso de que uma tempestade maior está se aproximando. Até mesmo os perigosos tsunamis enviam sinais bastante claros de que estão chegando antes de atingir a praia e causar estragos."

Existem sérias consequências quando os problemas não são resolvidos ou, pelo menos, se eles não são resolvidos a tempo.

Pode ter certeza: problemas malcuidados sempre vão aumentar de tamanho e de dificuldade. O que no início parece ser um incômodo à toa pode se transformar em um transtorno terrível.

Todos os dias aparecem rachaduras nas ruas e nas estradas. Quando um profissional responsável da companhia de tráfego toma conta da situação, esse problema é resolvido e nem é percebido pelos usuários.

Entretanto, quando o encarregado não cuida disso, na época das chuvas a água penetra nas rachaduras e os buracos aumentam, transformam-se em crateras, causam estragos e viram assunto de noticiários de televisão.

Um problema não resolvido, ou resolvido de maneira inadequada, sempre significa prejuízo maior. Uma coisa é reparar uma rachadura em uma estrada, outra coisa é reconstruir uma estrada inteira.

No início, o prejuízo seria da ordem de centenas de reais, mas

59

em pouquíssimo tempo o custo fica altíssimo, e não é só o financeiro, mas também o de vidas humanas que correm riscos.

Da mesma maneira que os juros financeiros de uma dívida se acumulam e se multiplicam como juros compostos, os prejuízos de uma empresa aumentam, pois um problema agrava outro e a situação fica complexa demais para ser solucionada.

Problemas internos da empresa que não são resolvidos acumulam-se e passam a se refletir externamente. Mau atendimento, baixa qualidade de produtos, perda de mercado, problemas na imagem e na reputação e perda constante de clientes são alguns dos reflexos de questões internas mal-resolvidas. Quando uma situação dessas se agrava, a empresa perde clientes e a concorrência se agita.

Para o negócio desmoronar, faltarão poucos passos.

Clientes sempre percebem quando uma empresa está entrando em um período de dificuldades, pois veem que falta inovação, que a comunicação é evasiva e que há incrível crescimento dos concorrentes.

Há algum tempo, existiam dois gigantes no varejo norte-americano: a Sears e a Kmart, que estavam bem estabelecidas e entraram em um processo de acomodação.

No entanto, entrou no mercado o Walmart, que começou a crescer. O grupo procurava resolver um grande problema dos clientes com seu lema: "Preço baixo todos os dias". Em 1974, o tamanho da Sears e da Kmart era 65 vezes o tamanho do Walmart.

Hoje, porém, o Walmart tem mais de 7.900 lojas espalhadas pelo mundo e está sempre entre as maiores empresas do globo, enquanto a Kmart faliu e foi absorvida, em 2005, pela Sears, que também vem passando por grandes dificuldades. Em menos de 20 anos, uma gigante naufragou, outro está seriamente abalado e um novo concorrente tomou conta do mercado.

O Walmart está crescendo porque resolve o problema do cliente que quer pagar menos. Enquanto tiver uma equipe que ajuda os clientes a economizar, a empresa vai fazer sucesso. Mas se resolver achar que é normal os clientes reclamarem de seus preços, com certeza também perderá espaço no mercado.

Você pode achar que as coisas que você faz como profissional de mercado – ou as que não faz – passam despercebidas. Entretanto, eu digo que você está sendo observado o tempo todo, todos os dias, por sua empresa e pelas empresas concorrentes. Quando um profissional faz um belo trabalho, frequentemente a concorrência tenta contratá-lo. O contrário, porém, também é verdadeiro.

Um profissional que não resolve problemas em uma empresa está arrumando um grande problema para si próprio. Quando a imagem da empresa fica comprometida, a imagem de seus profissionais também sofre arranhões.

Todos estão de olho no seu desempenho, mesmo que você não tenha ideia de como isso acontece. Vou contar uma história muito interessante que ilustra esse conceito.

Recentemente, assisti a uma palestra de um especialista em marketing, chamado Craig Duswalt. Ele falava da importância de termos a noção clara de que estamos sendo observados o tempo todo. E falou de algo que aconteceu com ele.

Ele era recém-formado na universidade e estava desempregado. Um dia, surgiu uma oportunidade de fazer "um bico", servindo bebida e comida no camarim para os músicos da banda de rock Air Supply, durante o show. Ele aceitou o convite e trabalhou na sexta-feira; por conta disso, ganhou também credenciais para assistir à apresentação da banda no sábado.

Na noite de sábado foi assistir ao show com sua mãe e ao final a levou ao camarim para tirar fotos com os músicos.

Quando ele chegou ao camarim, foi recebido com um sorriso pelo empresário da banda que lhe perguntou onde ele estava que não tinha vindo trabalhar no show de sábado.

Ele explicou que somente havia sido contratado para trabalhar no show de sexta-feira e por isso estava ali apenas para sua mãe poder tirar uma foto com a banda.

O empresário disse que os músicos tinham gostado muito do trabalho dele na noite anterior e fez um convite para que ele se tornasse o responsável pelos cuidados com o pessoal. E lhe ofereceu um salário bastante generoso.

Craig aceitou e passou a trabalhar com eles já no dia seguinte. Uma imensa limusine estacionou na frente de sua casa e o levou para viajar no jato particular da banda.

Tempos depois, ele se tornou o empresário não só do Air Supply, mas também do Guns N' Roses.

Finalmente, ao se cansar do estilo de vida de uma banda de rock, Craig montou uma agência de publicidade e se tornou especialista em marketing.

Lembre-se: não importa o que você faça, as pessoas estão analisando seu desempenho todos os dias! As pessoas certas sempre sabem quem faz o que e se faz benfeito ou não!

Ilusões a respeito dos problemas

Quem não grita "Oba!" acaba se tornando parte do problema.

Se você decidir que quer resolver os problemas das pessoas, antes de qualquer coisa, deve analisar se tem ideias errôneas a respeito deles. Você não poderá resolver problemas se não os encarar da maneira certa.

Infelizmente, muitos aprenderam a trabalhar com pessoas que têm pensamentos totalmente errados a respeito de como construir uma carreira de sucesso.

As influências negativas são muito mais frequentes porque os fracassados têm mais tempo para conversar. Então, eles fa-

PROBLEMAS? OBA!

lam dos princípios que usaram para atingir o resultado que estão vivendo.

Pare um minuto e reflita: a pessoa que lhe ensinou princípios profissionais realizou os objetivos que você quer realizar? Se ela não realizou esses objetivos, no máximo ela vai contaminar suas boas ideias com essas falácias, e seu resultado final vai ser prejudicado.

Observe se você acredita nessas ilusões:

- "O problema vai se resolver sozinho."
- "Quanto mais tempo passar, melhor ficará para resolver."
- "Agora estou muito ocupado para cuidar disso."
- "Pior do que está não pode ficar."
- "Alguém vai resolver isso para mim."

Se você tem alguma dessas crenças, existe perigo à vista!

Quem ensinou você a acreditar nesses pensamentos era uma pessoa de sucesso? Duvido!

As pessoas de sucesso sabem que os problemas têm de ser resolvidos na hora. Quando há turbulência, é preciso que o comandante assuma o comando do avião imediatamente. Se você quer aproveitar um problema para crescer, saiba que você tem de agir instantaneamente, assumindo a responsabilidade.

Existem muitas pessoas que morrem por causa do vírus do HIV. São problemas imensos, com um sofrimento infinito. Porém, há centenas de pessoas trabalhando para resolver essa questão séria que aflige a humanidade.

Os profissionais da área que estão buscando a cura da AIDS sabem que quem criar a primeira vacina que funcione contra esse vírus será colocado no pódio para o resto da vida.

As pessoas que estão nesse projeto não trabalham em horário comercial, muito menos deixam que sua equipe resolva sozinha as dificuldades que aparecem. Elas estão juntas o tempo todo porque sabem que esse é o jeito de as coisas acontecerem

Abandone suas ilusões em relação aos problemas e prepare-se para aprender a lidar com eles de verdade.

É assim que você deve pensar e agir para poder realizar todos os seus objetivos, pois os resultados criam credibilidade. E quando as pessoas confiam em alguém, é ele quem recebe as maiores oportunidades de mudar o mundo.

O segredo está no método

Alguns meses depois, meu amigo finalmente foi contratado novamente.

"Esse tempo que você passou lutando para conseguir um novo emprego foi importante para que se conscientizasse de que precisava agir de modo diferente se quisesse ter um resultado melhor."

"É verdade, Roberto. Estou percebendo que resolver problemas é diferente de só trabalhar. Antes, eu simplesmente trabalhava, cumpria minhas obrigações. Agora estou começando a resolver os problemas na empresa e isso está fazendo enorme diferença. É triste, mas vejo que a grande maioria das pessoas apenas faz seu trabalho."

"E se você reparar bem, quem apenas trabalha cumpre seus horários pontualmente, faz suas tarefas direito, mas não tem o cuidado de ver o resultado do que faz. O profissional que soluciona está focado em verificar se a pessoa que reclamou de algo porque tinha um problema já está sorrindo porque ele foi resolvido."

"Eu tenho estado muito concentrado nisso, mas ainda me atrapalho com a questão de ajudar as pessoas porque, às vezes, não sei bem por onde começar".

"Então vou contar a você qual é o grande segredo: método."
Método é a palavra-chave quando se pensa em fazer alguma coisa com eficiência e é o caminho mais curto para solucionar os problemas. E por mais estranho que possa parecer, para tudo o que fazemos precisamos ter um método: desde escovar os dentes ou fazer um simples churrasco, até trocar um pneu ou enviar um astronauta para uma plataforma no espaço.

Sempre que penso em método no churrasco, lembro-me de meu amigo Alberto Couto. Ele faz um dos mais deliciosos churrascos que existem e nunca erra o ponto. Sua maneira de trabalhar mostra exatamente qual é a diferença entre um churrasqueiro de verdade e um amador, ou seja, um que usa um método e outro que não usa. É incrível como os resultados são totalmente diferentes.

Um churrasqueiro amador que não segue nenhum método para começar não sabe bem nem onde a churrasqueira foi guardada desde o último churrasco. Os apetrechos são improvisados, ele compra a carne em qualquer lugar, usa os temperos que encontra no armário e tudo é feito na base do "quebra-galho". O resultado é que às vezes o churrasco fica bom; em outras, a carne fica dura ou torrada e sem sabor.

O método do Alberto já começa com a própria churrasqueira, que mais parece um laboratório de universidade americana: tudo é cuidado e conservado nos mínimos detalhes. Os ingredientes são criteriosamente escolhidos e preparados, comprados em um fornecedor de confiança, e a maneira de acender o fogo, de mexer com a carne e de servi-la é sempre um ritual. Seu método garante que não haja erro. Ser convidado para saborear um churrasco em sua casa é um presente do Universo (e uma honra).

Executar alguma coisa sem método é como andar sem mapa por um lugar desconhecido. Não há dúvida de que se perde tempo, energia e dinheiro, porque tentativa-e-erro, jeitinho e improviso nunca serão sinônimos de eficiência.

PROBLEMAS? OBA!

Você já imaginou um advogado cuidando de um processo por acusação de assassinato, um engenheiro construindo a ponte Rio-Niterói, um cirurgião operando um coração, ou a NASA enviando um cientista para o espaço sem método? É o mesmo que deixar a cargo da sorte ou do acaso algo em que não se pode nem pensar em errar.

Tenho meu método para escrever meus livros, o que facilita muito meu trabalho e me leva a um resultado muito melhor do que eu conseguiria se improvisasse na construção do texto e no encadeamento das ideias.

Método é fundamental para tudo o que se quer fazer na vida, e deve ser aplicado também para resolver problemas. Meu método para solucionar problemas consiste em cinco passos:

- Passo 1: Esteja presente.
- Passo 2: Escute com atenção.
- Passo 3: Defina a solução que você pode oferecer.
- Passo 4: Desculpe-se de maneira adequada.
- Passo 5: Comprometa-se com a solução.

PASSO 1: ESTEJA PRESENTE

Grande parte do sucesso de uma pessoa acontece simplesmente pelo fato de ela estar presente no local em que as coisas acontecem.

Se você ficar em seu escritório trabalhando com base apenas em relatórios, corre o risco de se alienar do que está acontecendo e, de repente, tomar um susto com qualquer catástrofe que surgir.

Isso me lembra uma das muitas "modas" ocorridas no mundo da gestão de negócios: a chamada "administração de portas abertas".

Com isso, os executivos queriam dizer que suas portas estavam abertas para que seus colaboradores viessem até eles.

No entanto, apesar do discurso de disponibilidade, a maioria nunca deu espaço para que isso acontecesse. A prática comprovou que não adianta ficar de portas abertas esperando que as pessoas venham até você. Você tem de ir aonde elas trabalham. Se seus vendedores não estão conseguindo vender, é importante fazer visitas a clientes junto com eles, para escutar e ver o que eles vivem. A maioria das pessoas de sucesso que eu conheço está sempre no local em que as coisas estão acontecendo:

- O técnico esportivo está sempre nos treinamentos da equipe.
- O diretor de uma construtora sempre visita o canteiro de obras.
- O responsável por um hospital está sempre nos corredores olhando as instalações.
- O *chef* de um restaurante vai sempre ao salão conversar com os clientes.
- Um dono de loja está sempre conversando com os fregueses.
- Um administrador de uma cadeia de negócio com filiais visita cada uma delas periodicamente.

Procuro sempre estudar os grandes empreendedores. Se observarmos bem suas atitudes, perceberemos que eles estão sempre à frente dos acontecimentos.

Os colaboradores de Sebastião Camargo, o famoso patriarca fundador do Grupo Camargo Corrêa, um dos mais importantes do Brasil, contam que ele visitava cada uma de suas obras e inspecionava cada detalhe. Cobrava os atrasos e os desperdícios no canteiro e era muito crítico. Por outro lado, fazia questão de participar também dos churrascos que as equipes faziam para comemorar suas vitórias.

É preciso estar no lugar em que as coisas acontecem, ir à "cena do crime", como dizem os investigadores. Sua presença no local em que podem ocorrer problemas sempre vai propiciar uma análise muito profunda e verdadeira da situação. Você precisa fazer questão de conversar com as pessoas para conhecer suas dificuldades, insatisfações e angústias.

Sam Walton, fundador do Walmart, tinha o hábito de viajar de avião particular para visitar suas várias lojas. Entretanto, ele gostava de usar um avião pequeno porque, quando via um estacionamento de um concorrente lotado, mandava o piloto aterrissar, para que pudesse conhecer o trabalho deles. Ele estava presente não apenas nas suas lojas, mas também nas lojas dos seus concorrentes.

Esteja presente, converse com as pessoas. Se não for possível estar no local, fale com elas por telefone e, somente em último caso, procure resolver por e-mail. Desse modo, você vai entender o que está acontecendo.

Se vir alguém frustrado, com um problema, ele será a melhor fonte de informações para você saber exatamente o que acontece e para ter ideias de como solucionar. Por isso, não importa qual seja sua posição: coloque a vaidade de lado e vá para o centro da arena, que é sempre onde as coisas ocorrem.

Um exemplo muito claro disso são os atrasos de voos nos aeroportos, o que chateia muito as pessoas. As partidas e as chegadas são reprogramadas a todo o momento e os portões de embarque são alterados sem ninguém dar nenhuma explicação.

Na maioria das vezes, tudo o que um passageiro quer em uma hora dessas é ter informações para poder saber o que está acontecendo, reprogramar seus compromissos e avisar a família sobre o motivo de seu atraso.

Por isso, nesses momentos críticos, os funcionários das companhias aéreas deveriam fazer absolutamente tudo o que fosse possível para deixar claro qual é o problema que está ocorrendo. E que, apesar de a solução não estar em suas mãos, existem pessoas cuidando dela.

Quase todo mundo sabe ser compreensivo e paciente quando existe um problema real e quando percebe que esforços estão sendo feitos para que ele seja resolvido. O que ninguém tolera é ser ignorado em uma situação problemática.

Como dizem os americanos: *Show up!* É preciso estar no local em que as coisas acontecem, no cenário dos acontecimentos!

"Você tem razão, Roberto. Nos últimos tempos, eu estava tomando decisões com base somente em informações frias de relatórios. Preciso mudar minha atitude."

"Você está tendo a oportunidade de renascer em sua carreira. Aproveite bem essa chance!"

Pude enxergar na face de meu amigo aquele olhar de quem sabe o que tem de fazer para ter sucesso. Ansiosamente, ele perguntou:

"Qual é o próximo passo?"

Percebendo seu entusiasmo, continuei a falar.

Passo 2: Escute com atenção

"Quando uma pessoa lhe trouxer um problema, sua primeira reação deve ser gritar bem alto dentro do seu cérebro: 'Problemas? Oba! Que bom que ele resolveu me trazer o problema!'. Ou seja, você deve colocar uma energia muito positiva na situação e escutar a pessoa com atenção."

O maior estrago que pode acontecer em uma situação crítica não é o problema em si, mas a pessoa entrar em uma emoção negativa quando a dificuldade surge. Portanto, quando alguém aparecer com um problema, pense em frases positivas para se motivar:

- Que bom que ele está precisando de mim!
- Eu sou importante!
- Vou mostrar que sou competente!

PROBLEMAS? OBA!

Com uma atitude positiva no coração, deixe a pessoa desabafar e resista à tentação de justificar a ocorrência do problema. Tentar negar que ela tem uma dificuldade é pior ainda. E culpar o outro pelo problema é o começo de uma catástrofe.

As pessoas precisam ter espaço para contar sua história, principalmente no caso de já terem feito algum esforço que não foi suficiente para resolver suas dificuldades. Ouvir a pessoa com atenção vai fazer com que ela se sinta valorizada e diminuirá o estresse causado pelo problema.

Você comanda o diálogo quando consegue fazer o outro falar e transmitir confiança. É como nesta história:

"Um velho médico, famoso por sua competência, recebeu a visita em sua casa de um jovem que estava passando por crises de ansiedade.

O médico, então, pediu que ele contasse seu problema e o que estava sentindo. O rapaz começou a falar de suas dificuldades, de seus sintomas e de suas angústias.

Enquanto isso, o médico se limitava a ouvir atentamente, balançando a cabeça vez por outra e concordando com o que ouvia. Inclinava-se para a frente, na direção do rapaz, e demonstrava muita atenção ao que ele dizia. Mantinha sintonia entre seu olhar e o do rapaz o tempo todo.

Depois de quase uma hora falando, o rapaz parou. Levantou-se visivelmente aliviado. Sorriu satisfeito, agradeceu ao médico pela ajuda e se foi.

A esposa do médico, que a tudo assistia, achou estranho e perguntou: 'Querido, o que aconteceu aqui? Não entendi por que ele agradeceu... Você não receitou nada e não disse uma só palavra!'

E o velho médico completou: 'Eu não disse e não receitei nada porque ele não estava aqui para ouvir e nem para ser medicado. Tudo o que ele precisava era de um bom ouvinte!'"

Escutar alguém com generosidade é uma forma de ajudar o outro a se sentir importante.

Quando uma pessoa desabafa, ela deixa claro o que espera que seja feito para resolver a situação. Geralmente, o que ela precisa é muito menos do que você imagina, e isso facilitará o diálogo quando você for apresentar a solução do problema que pode oferecer a ela.

Por mais que o outro esteja em uma atitude supercrítica, não caia na tentação de responder na mesma moeda. Simplesmente pense: "Oba! É uma oportunidade para fazer algo de bom por alguém!".

Faça perguntas para conhecer os detalhes do ocorrido e, principalmente, para entender a causa do problema. As pessoas ficam muito chateadas quando alguém lhes faz uma pergunta apenas para tentar ser agradável, sem nem ao menos ouvir sua resposta.

Entretanto, o pior acontece quando você começa a falar querendo tomar conta da conversa. Resista à tentação de falar muito, pois quem fala demais destrói o vínculo com a outra pessoa.

"Meu amigo, na hora da pressão, você consegue escutar?"

Ele respondeu rapidamente:

"Nem sempre. Acho que falo demais e escuto menos do que deveria."

Olhando direto em meus olhos, perguntou:

"O que você acha?"

"Eu sei que, quando está comigo, você sempre me escuta, mas se está querendo saber se fala em demasia, você pode fazer um teste. Imagine que você tem uma oportunidade de conversar com Bill Gates, ou qualquer outra pessoa que você admira. Pense por um minuto e responda: você falaria o tempo todo sobre o que faz na sua vida, ou aproveitaria para perguntar algo sobre as ideias e as estratégias dele?"

Infelizmente, quando está com alguém de sucesso, a maioria das pessoas simplesmente fica falando na maior parte do tempo e perde a oportunidade de aprender alguma coisa.

Já tive a chance de conhecer grandes treinadores de várias modalidades esportivas no Brasil, em geral profissionais que já serviram as seleções brasileiras em campeonatos mundiais e em Olimpíadas.

Em muitas ocasiões em que participamos juntos de mesas-redondas, fico chocado ao ver que muitos estudantes universitários, quando têm uma chance de conversar com algum desses experientes especialistas, gastam o tempo contando sobre as próprias atividades. Quase nunca vejo alguém fazer uma pergunta para esses mestres sobre sua experiência de sucesso.

A maior dificuldade que tenho quando faço uma sessão de *coaching* com um profissional que me consulta é conseguir que ele limite o tempo que gasta contando sua história e comece a usá-lo para procurar caminhos para sua carreira.

Infelizmente, muitas pessoas precisam falar o tempo todo para se sentir importantes, e você precisa ouvir para resolver os problemas delas. Então, ajude-as a falar sobre o que as aflige e escute com atenção!

Quando estiver com alguma pessoa, tenha a atitude de um psicoterapeuta: faça-a falar sobre seus problemas. Quanto mais ela desabafar, mais tranquila se sentirá e fornecerá todas as informações de que você precisa para dar um bom atendimento à situação.

"Você precisa praticar a 'escuta dinâmica'."
Meu amigo se espantou:
"Escuta dinâmica? O que é isso?".
"É um tipo de escuta na qual você valoriza a pessoa e, ao mesmo tempo, procura entender a situação para poder dar uma solução."
Existem três tipos de escuta:

- O primeiro tipo é aquele em que a pessoa escuta somente por escutar, sem prestar atenção. Por exemplo, é a maneira como muitos pais conversam com os filhos enquanto assistem a um jogo de futebol.

- O segundo tipo é a escuta profissional, na qual a pessoa tem um objetivo claro e somente presta atenção para entender o que está acontecendo a fim de dar uma solução. Por exemplo, é a forma preferida de muitos médicos que escutam o que o paciente fala para prescrever um remédio. Eles não têm nenhum interesse pela pessoa que está ali à sua frente e por isso não criam vínculos.
- O terceiro tipo é a escuta dinâmica, que é um escutar no qual você valoriza a pessoa que está à sua frente e, ao mesmo tempo, procura entender a situação. Nessa maneira de escutar, as duas pessoas se encontram e formam um vínculo forte. Por exemplo, é como os namorados conversam quando se reencontram.

A pessoa que tem um problema quer se sentir valorizada. Por isso, procure sempre olhar nos olhos dela e transmitir confiança. Ela ficará muito tocada ao perceber que você é solidário com ela.

Olhar nos olhos enquanto se escuta transmite a segurança que a pessoa precisa para se acalmar e esperar com paciência enquanto você está resolvendo o problema. Olhar nos olhos também estabelece a empatia necessária para fazer uma conexão e sentir exatamente o que a pessoa está sentindo. Isso faz que você entenda melhor o que precisa para encontrar a solução.

O ditado popular diz que "os olhos são a janela da alma". Então, olhar nos olhos significa estar mais próximo do que o seu cliente está realmente sentindo, e isso ajuda a compreender melhor o lado dele.

Escute as pessoas respeitando a lógica delas. Por mais que você conheça um assunto, procure estar consciente da sequência do raciocínio do outro.

Exemplos engraçados de como não entendemos a lógica dos outros existem nas anedotas de português. Tenho trabalhado bastante em Portugal e percebo que, muitas vezes, eles também acham nosso jeito de pensar engraçado. E desconfio que eles também acham que nós não pensamos muito direito – ou "não batemos bem da bola!"

Uma dessas piadas, em especial, mostra como culturas diferentes podem ter pontos de vista diferentes:

> Um brasileiro estava em Lisboa em uma sexta-feira. Entrou em uma loja e ficou em dúvida se comprava um produto ou não. Pensando em voltar no dia seguinte, perguntou ao lojista:
>
> "Os senhores fecham amanhã?"
>
> "Não", ele respondeu com naturalidade.
>
> Então, o cliente voltou no dia seguinte e deu de cara com a loja fechada. Na segunda-feira, o brasileiro voltou à loja e foi direto falar com o vendedor:
>
> "Mas o senhor disse que a loja não fechava aos sábados!"
>
> Ao que o português respondeu com displicência:
>
> "Mas como vamos fechar se não abrimos?!"

Usar lógicas diferentes em um diálogo pode dar a impressão de uma conversa de bêbados!

Outro ponto importante a considerar é que a grande maioria das pessoas é honesta. Precisamos partir desse pressuposto quando ouvimos a solicitação de algum cliente ou a reclamação de alguém sobre um problema em relação aos nossos serviços ou produtos.

Então, devemos sempre dar crédito às pessoas e entender que tudo o que elas querem é ser atendidas com gentileza e poder falar de seu problema sabendo que alguém se importa.

É importante mostrar que você acredita no outro. Uma das situações mais frustrantes que existem é contar alguma coisa para alguém e ter a sensação de que não está pondo fé em você.

Acredite: se a pessoa está dizendo que tem um problema, ela de fato o tem! Pode não ser necessariamente um problema para você ou para outras pessoas, mas para ela, naquele momento, é uma dor, uma necessidade, uma urgência que precisa ser resolvida.

Devemos acreditar que um cliente está sendo honesto em suas queixas e em seus pedidos. A partir daí, poderemos buscar saber qual é a solução que o satisfará e procurar atendê-lo.

Lembro-me de um caso ocorrido em uma empresa de logística. Houve extravio de uma encomenda e o remetente insistia que havia um relógio muito caro no pacote perdido.

Depois de um impasse entre os funcionários responsáveis, o caso chegou aos ouvidos do presidente da empresa, que chamou a atenção de todos para a necessidade de confiar em seus clientes. Imediatamente, ele ordenou que o valor do relógio fosse pago ao cliente.

Ele partiu do princípio de que o cliente estava dizendo a verdade, ou seja, de que estava sendo honesto. Algum tempo depois, a bagagem foi encontrada e havia mesmo um relógio como o cliente havia descrito.

Não discuta a validade de uma queixa ou a veracidade do pedido de alguém ou do seu sentimento. Se a pessoa está clamando por ajuda para um problema é porque ela considera que o assunto tem necessidade de solução. E tudo o que ela quer é alguém que resolva a situação.

Por isso, quando uma pessoa reclamar, celebre! É sinal de que ela quer ser atendida por você. Em geral, a maioria dos clientes insatisfeitos abandona a empresa sem dar a menor explicação. E lembre-se: há milhares de concorrentes querendo ouvir e atender clientes que podiam ser seus!

PROBLEMAS? OBA!

PASSO 3: DEFINA A SOLUÇÃO QUE VOCÊ PODE OFERECER

O palestrante João Pereira da Silva Jr. diz algo interessante: "Algumas vezes, você poderá ajudar menos do que o outro merece, mas tenha certeza de que ajudará muito mais do que outra pessoa faria".

Defina o que você, sua empresa ou seu negócio podem dar como solução para algum problema do cliente. Fale como você vai resolver o problema da pessoa, mas mostre a ela também que você tem limites, ou seja, que há coisas que você pode fazer e há outras que não pode para resolver o caso.

Por exemplo: você é um representante da companhia e está disposto a ajudar o cliente a resolver seu problema. Entretanto, a empresa tem regras que precisam ser obedecidas. Então, deixe claro para o cliente que, embora você tenha toda a boa vontade do mundo, também tem limitações.

Dessa maneira, fica claro o que pode ser feito e até que ponto. Isso não frustra expectativas e não causa reclamações posteriores. Nesse ponto, a criatividade é fundamental! Dar para o cliente algo que tenha valor para ele, mas que esteja dentro das normas do que a empresa lhe permite fazer, pode operar milagres.

Lembro de um caso que uma professora postou em minha rede social. Ela tinha dúvidas sobre certa movimentação em sua conta bancária. Foi até o banco, enfrentou uma fila enorme e esperou um bom tempo até chegar sua vez de ser atendida.

Quando o funcionário que a atendeu analisou seu caso, deu-lhe toda a atenção, resolveu todos os pontos que estavam ao seu alcance, mas disse a ela que havia alguns itens que ele não poderia resolver sem antes passar pela análise de seus superiores. E que não havia como fazer aquilo naquele dia.

Continuando a ser gentil com sua cliente, o funcionário propôs à professora que voltasse no outro dia, porém às 9 horas da

77

manhã (e os bancos só abrem às 10 horas). Disse que se comprometia a estar ali naquele horário, para atendê-la mais rapidamente e para que ela não precisasse pegar fila novamente.

A professora fez isso. Chegou à agência no outro dia logo cedo, encontrou aquele funcionário com um sorriso no rosto e já com a solução para seu problema.

É claro que ela se sentiu como a pessoa mais importante do mundo naquele momento. Ficou feliz, satisfeita e, como ela mesma disse, aquilo mudou totalmente o conceito negativo que ela tinha a respeito do atendimento naquele banco. Elogiou o funcionário e o banco publicamente em minha rede social e em todo lugar em que surgiu uma oportunidade para falar do caso.

A atitude de um simples funcionário pode mudar a impressão que os clientes têm de toda uma empresa.

Há alguns anos, fui a Santos para trabalhar em um campeonato de natação. Quando cheguei ao hotel, tarde da noite, descobri que minha reserva havia sido feita somente a partir do dia seguinte. Perguntei ao recepcionista sobre alguma vaga, mas ele me disse que o hotel estava completamente lotado.

Antes que eu reclamasse, o rapaz da recepção começou a ligar para outros hotéis procurando encontrar um apartamento para que eu passasse a noite. Era visível sua frustração cada vez que ouvia uma resposta negativa. Até que, em uma ligação, ele sorriu e começou a falar meu nome e a confirmar a reserva com a outra pessoa ao telefone.

Quando desligou, falou: "Infelizmente, o senhor não vai poder ficar esta noite conosco, mas consegui um hotel para o senhor para hoje!".

Sua alegria por ter resolvido a situação era tanta que eu não tive tempo de me sentir frustrado. Não foi a solução que eu queria, mas ele cuidou de mim como poucas pessoas já fizeram. É lógico que me senti importante e agradecido.

Passo 4: Desculpe-se de maneira adequada

A melhor maneira de começar a resolver um problema de seu cliente que tenha sido ocasionado por uma falha sua ou de sua empresa é assumindo o erro e pedindo desculpas.

Um pedido de desculpas verdadeiro e benfeito já resolve metade do problema, além de abrir os caminhos para que você resolva a outra metade.

Há pessoas que nunca se permitem reconhecer que erraram, pois têm uma autoimagem de perfeição. Pensam que os outros não vão mais valorizá-las nem respeitá-las se admitirem uma falha pessoal.

Em uma escala maior, muitos executivos têm também essa atitude, pensando que dessa maneira preservarão a imagem da empresa. Contudo, o que eles acabam conseguindo é exatamente o contrário: aos olhos dos clientes, a empresa começa a aparecer como irresponsável pela qualidade do que entrega. Além disso, essa postura prejudica a comunicação com o cliente, pois geralmente espera-se que ele assuma um erro que na verdade não é dele.

Muitos profissionais não têm o hábito de admitir seus erros e de pedir desculpas, nem para os clientes e nem mesmo para os colegas de trabalho. Conclusão: as pessoas acabam não se desculpando. Ou então, quando o fazem, é pela razão errada ou de maneira inadequada.

Por exemplo: a pessoa percebe uma situação tensa e pede desculpas para ver se a outra pessoa muda de assunto. Não faz por arrependimento, mas como um recurso estratégico para pôr fim à discussão.

Existe uma maneira adequada de pedir desculpas. Reconhecer o próprio erro e desculpar-se com a disposição verdadeira de corrigir-se é uma demonstração de humildade e de valorização do outro. É ter consciência do mal-estar que sua conduta provocou no outro e assumir o compromisso de agir de modo diferente da próxima vez.

Na minha família, sempre tivemos o hábito de fazer o seguinte: quando um de meus filhos se comportava de modo inadequado, como castigo eu mandava que escrevesse cem vezes determinada frase relacionada ao seu comportamento. Por exemplo: "Vou respeitar meu irmão", "Vou cuidar melhor de meus brinquedos"... Depois, sentávamos com essa pessoa e fazíamos uma reflexão sobre o que havia acontecido.

Em certa época, meu filho André andava brigando muito com o técnico e com seus adversários nos jogos de futebol. Algumas vezes, tive de falar para ele escrever cem vezes: "Não vou mais brigar com as pessoas durante o jogo de futebol". E cada vez que isso acontecia, conversávamos sobre esse comportamento.

Pouco tempo depois, André foi disputar uma partida. Eu e toda a família fomos assistir ao jogo. Quando André sofreu uma entrada desleal do adversário, ele ficou nervoso e os dois começaram a gritar um com o outro. Todo o time adversário foi para cima do André e, naquele momento, seu técnico deu uma bronca nele.

Fiquei irritado e comecei a brigar com o técnico, pois em vez de proteger o André ele estava sendo mais um a gritar com ele. Para minha surpresa, porém, André tomou partido de seu treinador e começou a gritar comigo. Foi uma situação muito desagradável, porque me senti muito desrespeitado por ele. Depois do jogo, André continuou a brigar comigo e, quando chegou em casa, pedi que ele escrevesse cem vezes: "Vou respeitar meu pai". Então, tivemos uma longa conversa.

No final do dia, recebi um e-mail do Arthur, meu outro filho, que dizia que eu deveria pensar no que eu tinha feito. Em sua opinião, minha briga com o treinador no meio do clube havia desencadeado a reação do André, e eu estava cobrando dele um comportamento que tinha sido causado pela minha explosão. Toda a família havia ficado sem graça com a situação. Ele disse que se eu tivesse consistência em meus princípios, deveria escrever cem vezes a frase: "Eu vou manter o controle durante as partidas de futebol". Arthur disse ainda que eu deveria pedir desculpas a todos.

Fiquei muito constrangido, imaginando que isso poderia quebrar a minha autoridade, mas depois de alguns minutos, decidi fazer aquilo mesmo: escrevi uma carta pedindo desculpas para todos.

Oi, pessoal,

Quero pedir desculpas pela minha conduta no jogo de ontem.

Estou arrependido por ter perdido o controle e gritado com o treinador e depois com o André.

Sei que essa atitude deixou vocês muito chateados e que dei um péssimo exemplo a todos como pai e amigo de vocês.

Prometo me comportar adequamente nos próximos jogos.

Vocês merecem um exemplo melhor.

Beijos,

Pai

ps: Arthur, obrigado por me ajudar a reconhecer meu erro. É muito bom ter você por perto.

Logo depois, fui até o clube e me desculpei também com o treinador. Esse evento acabou sendo um marco para nossa família, porque essa atitude criou um espaço maior para nossa amizade. Além disso, meus filhos aprenderam que os pais também podem errar e têm de saber pedir desculpas.

O importante dessa história é perceber que um pedido de desculpas sincero e benfeito conserta muitas mágoas e dá chance para que você melhore tudo à sua volta. Um pedido de desculpas, entretanto, além de ser legítimo e motivado pela vontade de conciliar as coisas, precisa ser feito da maneira adequada.

Uso muito e recomendo o método a seguir para pedir desculpas. É simples e dá ótimos resultados. São quatro passos:

1. Peça desculpas com sinceridade.
2. Cite e descreva o fato pelo qual está se desculpando.
3. Reconheça o mal-estar que você causou ao outro.
4. Comprometa-se a fazer diferente daquele momento em diante.

Suponha, por exemplo, que você entregou um relatório para um colega de trabalho depois do prazo combinado e isso fez que ele atrasasse a entrega de seu projeto para seu supervisor.

Como se desculpar com ele? Veja o que você poderia dizer, em quatro passos:

1. "Peço desculpas pelo transtorno que lhe causei" (lembre-se: você precisa ser sincero).
2. "Entreguei meu relatório atrasado e isso atrasou seu trabalho também."
3. "Sei que isso o deixou chateado, porque você gosta de entregar seus projetos no prazo combinado. Além do mais, teve de se justificar com seus superiores por uma falha que não foi de sua responsabilidade, o que não foi agradável."
4. "Da próxima vez, comprometo-me a entregar o relatório um dia antes do prazo combinado, para que você possa trabalhar tranquilo."

É claro que seu colega acabou tendo um desconforto decorrente de uma falha sua. Um pedido de desculpas legítimo e bem colocado, como o do exemplo, vai tornar a relação entre vocês mais limpa e minimizar o mal-estar pelo qual seu colega está passando.

Entretanto, para resolver efetivamente esse tipo de problema, das próximas vezes, você precisa fazer realmente aquilo que se comprometeu a fazer. Caso contrário, o problema vai se repetir e seu pedido de desculpas se tornará vazio e sem credibilidade.

Lembre-se: saber se desculpar quando erra apenas engrandece a pessoa, além de servir de excelente exemplo para que outros aprendam a seguir pelo mesmo caminho. É uma ótima maneira de começar a resolver um problema.

Por isso, nos casos em que a responsabilidade pelo problema é sua ou de sua empresa, reconheça a falha e saiba pedir desculpas. Que seu pedido de desculpas, porém, seja legítimo e tenha a intenção verdadeira de resolver a situação.

Não interessa se o responsável pelo problema é outra pessoa ou outro setor da empresa. Naquele momento, você representa a empresa; portanto, desculpe-se em nome da empresa e não cometa a gafe de tentar transferir a culpa.

Lembre-se do mais importante: para que um pedido de desculpas realmente tenha valor é necessário que você se comprometa com a solução do problema.

Passo 5: Comprometa-se com a solução

"Verdadeiros profissionais fazem acontecer. E vão além do que os outros chamam de final."

"Não entendi. Do que você está falando, Roberto?" Meu amigo demonstrava claro interesse pelo assunto.

Sorri feliz, porque percebi que ele estava pensando bastante sobre tudo o que eu lhe dizia:

"Vou dar um exemplo simples: você oferece um jantar para alguns amigos. Alguns passam rapidamente por sua casa, outros ficam um pouco mais. Porém, apenas os amigos de verdade ficam até o final da festa. E só aqueles realmente comprometidos com você esperam que todos saiam e o ajudam a pôr sua casa em ordem. Amigos assim

não agem como visitas, mas assumem para si a responsabilidade de cuidar da situação ao seu lado.

O mesmo acontece em um evento da empresa. A maioria passa brevemente, outros ficam um pouco mais, mas os que estão comprometidos perguntam se você está precisando de alguma coisa. Isso acontece com sua equipe: os melhores cuidam de tudo depois que a festa termina, mas os sensacionais sabem que no dia seguinte, e muitas vezes durante toda a semana, vai haver trabalho para fechar o evento."

Profissionais de sucesso não deixam nada pela metade. Eles consideram que a situação está encerrada somente quanto tudo o que havia para fazer já tiver sido feito. Durante todo o processo, eles estão presentes e acompanham o andamento das coisas.

Então, se você quer ter sucesso a partir da resolução de problemas, é preciso identificar o problema, encontrar uma solução e depois comprometer-se com ela, até que seja implementada completamente.

Implementar a solução pode ser algo executado por outra pessoa ou por você mesmo. Se você for o executor, deverá ir até o final do processo, até que tenha efetivamente resolvido o problema. Todavia, se você apenas definiu a solução, mas não vai implementá-la pessoalmente, como profissional sensacional, você deverá monitorar todo o processo para garantir que o que foi combinado aconteça de fato. Esse é seu compromisso com a solução.

Sempre que você encontrar a solução para um problema e definir os passos a serem dados, confira se isso está mesmo sendo executado, ou seja, acompanhe o processo de perto. O problema deve ser assumido como uma responsabilidade sua, que só terminará quando as pessoas afetadas estiverem satisfeitas com o desfecho da situação.

Pegue como exemplo a conduta de um oficial do corpo de bombeiros. Depois de apagar um incêndio, ele permanece no local por algum tempo para certificar-se de que nenhuma fagulha

PROBLEMAS? OBA!

voltará a causar novo início de fogo. A reputação desse bombeiro estaria completamente comprometida se, logo após ele deixar o local do incêndio, o fogo retornasse.

Empresas como a American Express educam sua equipe a cuidar de um problema até o fim. Se um executivo se depara com um problema que não é de sua área, ele deve encaminhar a questão para o departamento adequado, mas será responsável por esse atendimento até o problema do cliente ser resolvido. Eles não querem correr o risco de o problema do cliente ficar parado em alguma mesa, por falta de comunicação.

Enquanto falávamos sobre isso, meu amigo lembrou-se de uma passagem da época em que trabalhava em um grande grupo comercial:

"Lembro-me de um caso que aconteceu conosco na empresa. Tínhamos programado uma grande promoção para o dia dos namorados. Tudo foi feito com muito cuidado e o projeto era realmente bom. Daria uma boa arrancada nas vendas. As ideias foram implementadas, o produto foi definido e começamos a buscar os fornecedores.

Um dia, chegou a mim por e-mail uma proposta incrível de um fornecedor que oferecia condições ótimas para nosso projeto. O produto deles era exatamente o que queríamos e o preço era 30% menor que os dos concorrentes.

Pesquisei um pouco sobre o fornecedor, verifiquei a qualidade do produto e, embora não fosse minha atribuição, passei a proposta para a área de compras. E esqueci o caso. Considerei que minha parte já estava feita. Não me preocupei em acompanhar até o fim.

No momento em que a empresa recebeu o produto no estoque, fiquei sabendo que havíamos comprado, de outro fornecedor, um produto de qualidade inferior, por um preço bem maior. Quando fui tentar sabe o porquê daquilo, descobri que a proposta que eu havia repassado para a área de compras havia sido esquecida na gaveta de um dos gerentes do setor.

Se eu tivesse acompanhado o caso até o fim, teríamos um produto de melhor qualidade para vender, a um preço muito mais conveniente. Resultado: nossas vendas foram muito menores que as planejadas e muitos clientes não ficaram satisfeitos com o produto."

Olhei meu amigo nos olhos e disse:

"Talvez este seja um dos conselhos mais importantes que vou lhe dar: continue acompanhando o problema até que a situação seja resolvida. A maioria das pessoas se esquece das promessas, dos projetos e das situações que precisam ser resolvidas e reforçam a imagem de incompetência pessoal e da empresa. Quando os melhores profissionais considerarem que é momento de parar, vá além e confira se o que sua equipe prometeu foi realmente entregue."

Bons profissionais vão até o fim, mas apenas os sensacionais vão além.

"Se alguém pedir-te que andes uma milha, anda com ele duas" (Mateus 5,41).

Corte o mal pela raiz

"Roberto, estou muito feliz! Acabo de receber o aumento que meu chefe havia prometido quando me contratou!"

Essas foram as palavras que meu amigo disse assim que nos encontramos. Ele transbordava alegria; fiquei muito feliz em vê-lo contente com seus resultados.

"Aumento? Oba! Meus parabéns!"

Ele sorriu com intensidade e continuou:

"Meu novo chefe me elogiou por minha atitude de tomar a frente na solução dos problemas. Mas sabe de uma coisa? Sinto que os problemas que tenho resolvido são repetitivos e parecem que não vão ter fim. Tenho certeza de que são alimentados por alguma coisa, mas não sei bem o que é nem como desmontá-la."

"Como dizia minha mãe, é preciso cortar o mal pela raiz. O que você precisa é investigar e analisar qual é a causa dessa repetição e desligar a fonte que alimenta a dificuldade."

Com um ar de brincadeira, ele perguntou:

"Mas eu não tenho ideia de como fazer isso. Você tem um método para cortar a fonte dos problemas?"

"Esse seu comentário sobre cortar o problema me lembrou um caso muito engraçado que um bombeiro conhecido me contou:

Todo o domingo à noite, no plantão da nossa corporação, acontecia a mesma coisa: uma senhora bem idosa telefonava e pedia que fôssemos tirar sua gata de cima de uma árvore. A bichana subia e não conseguia descer.

Só que aquilo se repetia tanto que a senhora já era nossa conhecida e o fato estava virando rotina no quartel. O pessoal já ficava até de prontidão. O telefone tocava e lá íamos nós atrás da gata.

Em determinado domingo, um novo sargento, que fazia plantão pela primeira vez naquele expediente, foi com a equipe atender àquela chamada. Quando chegaram ao local, a velhinha contou o que acontecia. Ele coçou o bigode, pensou um pouco e perguntou: "Essa sua gata sobe sempre *nessa* árvore?".

E a mulher respondeu: "Sim, sempre!". "Então a senhora fique tranquila que nós vamos resolver essa situação de uma vez por todas." Olhou para o lado e gritou: "Ô Da Silva, pega a motosserra!".

De motosserra em punho, ele cortou a árvore, um eucalipto de 20 metros, e acabou com o problema! Aliás, acabou com dois problemas, porque aquela árvore estava velha e caindo, colocando em risco quem passasse por lá em uma chuva mais forte!

Problemas que se repetem formam um ciclo vicioso e significam que sua causa não foi eliminada. Eles voltam e voltam, mas a cada volta ficam piores. É como uma espiral, que vai levando a empresa para baixo. O resultado pode ser desastroso e até levar empresas à falência.

Veja como isso acontece: uma empresa tem um problema que causa prejuízos e arranha sua imagem. Isso a deixa frágil e exposta a novos problemas. Se esse problema inicial não for bem resolvido, vai encontrar um ambiente propício para acontecer de novo.

Com a repetição do problema, a empresa se torna ainda mais frágil e o problema mal resolvido voltará a se repetir, fragilizando ainda mais a empresa... E assim por diante, fazendo que o negócio entre em uma espiral descendente, em um turbilhão semelhante ao que leva a água ralo abaixo.

Quando dou consultoria, fico chocado ao constatar como os problemas são arrastados nas empresas durante anos. Os diretores me contam histórias de questões que estão lá há muito tempo e ninguém tem a coragem de cortar o eucalipto velho, como o sargento dos bombeiros fez.

Problemas repetitivos são os que mais acontecem dentro das empresas – e são péssimos para a companhia –, mas são piores ainda para a pessoa que tenta resolvê-los e não consegue, pois a repetição é o sinal do seu insucesso.

Tratar de problemas repetitivos é como tratar de doenças. Se uma pessoa tem, por exemplo, uma tontura esporádica, o tratamento será totalmente diferente do caso de ela ter tonturas todos os dias. Uma tontura de um dia pode ser uma simples indisposição, mas o mesmo problema todos os dias pode ser sintoma de uma doença mais grave, como a labirintite. Se o médico tratar um sintoma que acontece todos os dias da mesma maneira que trataria se ele fosse esporádico, é sinal de que é um profissional muito incompetente.

Invista seu tempo para resolver os verdadeiros problemas que tiram a empresa do rumo certo em direção às metas. A chave para fazer a revolução na sua empresa é descobrir qual é a causa desses problemas quase eternos e agir para resolvê-la.

"Mas, Roberto, como eu faço isso?"

"O fundamental é entender, primeiramente, que todo problema tem um ciclo."

O ciclo dos problemas

Pode ter certeza de que a grande maioria dos problemas que existem já vem sendo alimentada há muito tempo na empresa. Assim, não podemos nos iludir achando que são acontecimentos repentinos. Infelizmente, muitos profissionais e muitas empresas acham que problemas acontecem inesperadamente, e por isso se surpreendem.

Um problema sempre dá sinais de que vai explodir. Se até um tsunami avisa que está chegando, o que dizer de um atraso na entrega dos produtos da sua empresa! Portanto, quando alguém vem contar que um problema explodiu, raramente essa explosão é uma novidade. Na maioria das vezes, ele já emitiu muitos avisos antes de se manifestar e algumas pessoas que estão envolvidas já comentaram sobre esse problema com seus superiores.

Desse modo, é sempre possível prevenir, identificar e, principalmente, solucionar a questão, até mesmo preventivamente. Isso ocorre com qualquer tipo de problema: da obesidade à falha no fluxo de caixa, da falta de emprego ao controle de qualidade...

Muitas pessoas, porém, exercem diariamente suas atividades e nem percebem os sinais que indicam que há um problema se formando. E um ciclo vicioso começa a acontecer, mostrando que suas causas não estão sendo cuidadas.

Uma mancha na parede pode ser sinal de infiltração de umidade. Ela vai crescendo silenciosamente, dia após dia, e, em determinado momento, pode colocar em risco toda a estrutura física de um edifício. É um sinal que anuncia a explosão de um problema: um desabamento.

Quer saber como está sua empresa? Converse com o pessoal do atendimento ao consumidor. Quer saber como está a qualidade dos produtos que você vende? Visite o estoque da empresa. Acho que até deveria ser obrigatório que o pessoal de marketing visitasse o estoque da empresa todas as semanas para conhecer o resultado de suas ideias. Precisamos conhecer os locais estratégicos para ter consciência da realidade dos fatos do trabalho de cada um de nós na organização.

Por ser especialista em recursos humanos, meu amigo me perguntou:

"O que eu posso olhar para saber que um problema vai estourar?"

Respondi de maneira direta:

"É simples: veja como está o astral da equipe e se os melhores colaboradores estão comprometidos com as metas da organização. Converse com eles e você conhecerá o futuro de sua empresa. Quando os funcionários começarem a procurar emprego, é sinal de que algum problema maior vai explodir".

Todos os problemas, sem exceção, emitem sinais em todas as suas etapas de evolução. Podemos dizer que todo problema é, antes de tudo, "uma tragédia anunciada". Basta que saibamos perceber os avisos.

Um problema é sempre uma consequência e não um começo!

Precisamos compreender que os problemas têm um ciclo definido. Embora a maioria das pessoas, quando vê um problema acontecendo, pense que ele é inesperado, na verdade ele é parte de um processo degenerativo na empresa. Os problemas vão se eternizando porque, em geral, as pessoas cuidam de suas consequências e não de suas causas. Então, eles voltam, e muito mais intensos, causando danos maiores.

Se você quiser sumir com o mato que cresce em um terreno, terá de destruir a raiz; mas muita gente se ilude achando que só cortar as folhas que aparecem resolverá o problema. Então, sempre que estiver procurando resolver um problema de verdade, pergunte-se se você está cortando o mal pela raiz.

Vamos chamar de "explosão" o momento em que um problema aparece, porque, apesar de ser uma morte anunciada, é o momento mais marcante de seu ciclo. Antes de explodir, o problema dá sinais de alerta; depois, acontecem os danos. Estes três momentos formam o que chamamos de ciclo do problema:

1. Fase de alerta.
2. Fase de explosão.
3. Fase de danos.

Vamos conhecer com mais profundidade cada uma dessas fases:

Fase de alerta

Quando há falhas no sistema, há sempre sinais que prenunciam a manifestação de um problema. São como as birutas dos aeroportos, que avisam sobre a mudança da direção do vento. Elas se agitam muito mais quando há prenúncio de tempestade.
O verdadeiro líder está sempre escutando as vozes das paredes. Ele sabe ler o silêncio das pessoas e o significado das análises dos gerentes quando as tempestades começam a se formar.
Um exemplo: uma empresa é líder de mercado de um produto e seu concorrente lança algo similar por um preço menor. As vendas começam a cair e o pessoal da empresa tem uma atitude de desprezo pelo fato.
O diretor de produção diz: "Nosso produto é melhor, somos líderes de mercado". O diretor de vendas alega: "Nossa equipe é mais guerreira, não há problemas". O diretor de marketing afirma: "Dominamos as redes sociais, estamos tranquilos". Todos ignoram os sinais do mercado e a cada mês veem seu produto vender menos, e o produto do seu concorrente ocupar mais espaço nas lojas. Como nossos pais diziam, eles procuram "tapar o sol com uma peneira", mas acabam se queimando.
Cada departamento fica tão concentrado em suas qualidades

que não percebe suas fragilidades. As desculpas para a queda de vendas são várias e superficiais: "Os consumidores estão só experimentando a novidade" ou "precisamos diminuir o preço para manter as vendas".

Os sinais estão cada vez mais intensos, mas ninguém tem coragem de tomar uma posição firme de enfrentar os problemas. Esse, porém, é o momento mais importante para cuidar de um tsunami: antes que ele apareça na praia destruindo tudo.

Fase de explosão

Um dia, o diretor financeiro da empresa chega a uma reunião, mostra um rombo enorme no fluxo de caixa e diz que os sócios precisam injetar capital na empresa para pagar as contas.

Então, ele entra nos detalhes: não há mais espaço no estoque para o encalhe do produto, os compradores estão pressionando para devolver mercadoria e é necessário fazer uma redução radical nos custos da empresa.

Nesse momento, ocorre o equívoco de pensar que se trata apenas de um evento inesperado e de um fato isolado. A verdade, porém, é que isso já vinha dando sinais fazia tempo. Essa crise da empresa já estava sendo anunciada havia vários meses, mas precisou chegar ao ponto de a empresa não estar honrando seus compromissos para as pessoas acordarem.

O problema explodiu.

Quando os executivos param para analisar em profundidade o que está acontecendo, percebem que a empresa concorrente domina os pontos de vendas, que ninguém mais se interessa pelo seu produto e que as revistas especializadas mudaram sua preferência, deixando de dar atenção e visibilidade a ele. Seu produto ficou obsoleto.

Dessa vez, alguém faz alguma coisa: o presidente convoca os

diretores e pede explicações sobre o que aconteceu. Geralmente, os vários diretores acusam-se mutuamente, procurando uma explicação na falha alheia como causa dos problemas.

No meio da reunião, alguém propõe um grande desconto para estimular as vendas e todos aplaudem a ideia. Não percebem que simplesmente pode ser uma saída para o problema de fluxo de caixa, mas é uma solução somente paliativa. Apenas colocaram um *band aid* na ferida, que vai continuar sangrando.

Uma explosão como essa exige que os gerentes parem para fazer uma análise da situação e cuidarem da causa do problema. Esse é o momento em que os líderes precisam fazer um estudo profundo para reinventar o negócio. Entretanto, geralmente as pessoas entram em desespero e saem correndo para fazer mais do mesmo.

Um dia desses, recebi uma mensagem que dizia que quando o Dalai Lama tem um dia com a agenda muito lotada, ele medita duas horas em vez de uma, como faz rotineiramente. Nós, em geral, diminuímos o tempo dedicado à meditação porque estamos com excesso de trabalho e não percebemos que se meditássemos mais tomaríamos decisões melhores.

Fase de danos

A equipe de vendas dispara uma campanha com muitos descontos para trazer dinheiro para a empresa, mas depois da ilusão de haver resolvido o problema, todos começarão a perceber que estão, na verdade, vendendo com prejuízo, e que, dentro em breve, o rombo no fluxo de caixa estará maior.

Mas mesmo assim as vendas aumentam. Durante um ou dois meses, tem-se a impressão de que isso vai melhorar o fluxo de caixa, até que se percebe que será preciso gastar mais para produzir o produto. O que todos descobrem é que agora a empresa está sem dinheiro e sem estoque!

No final, com o prejuízo aumentando, o presidente pede ao diretor financeiro um plano de corte de custos e de pessoal.

O clima da empresa, que antes era de tranquilidade graças à liderança no mercado, fica tenso e o medo prevalece. A necessidade de fazer empréstimos cada vez maiores aumenta rapidamente. Os melhores profissionais vão trabalhar na concorrência. A demissão em massa causa um ambiente de insegurança; os investimentos são suspensos.

As pessoas percebem que a posição de defesa por causa do corte de custos, sem reorganização do negócio, paralisa a empresa. O ambiente de trabalho com tanto pessimismo torna ainda mais difícil criar e aplicar um plano de recuperação.

A verdadeira causa da situação, no entanto, ainda não foi enfrentada: o produto não tem mais mercado. A empresa não cuidou de inovação e se acomodou.

A situação vai ficando cada vez pior. Se a empresa não identificar e corrigir a causa do problema, a situação vai piorar inevitavelmente. É simples assim: a fase 1 leva à fase 2, que leva à fase 3.

Se nada for feito, a fase 3 levará novamente à fase 1 e o ciclo recomeçará. Nesse caso, se os cortes de custo forem feitos sem a inovação do produto, as vendas do próximo mês poderão ser ainda mais prejudicadas.

Portanto, para quebrar esse ciclo, a única solução é trabalhar na causa da situação, para evitar que o problema se repita.

É como os bombeiros falam: o melhor jeito de acabar com um incêndio é evitar que ele aconteça, pois quando o fogo começa, por melhor que seja sua atuação, as perdas serão inevitáveis.

Meu amigo estava concentrado. Perguntei a ele:

"Em que você está pensando?"

"Em um artigo que li outro dia ligado a isso. Falava das fábricas de máquinas de escrever, que não souberam se modernizar."

"É verdade! Esse é um excelente exemplo. Você imagina como

devem ter sido as reuniões na empresa que fabricava as maravilhosas máquinas de escrever Remington quando apareceram os computadores pessoais da IBM?"

Fase de alerta:

Um gerente de vendas comenta com os diretores:

"Vocês viram que a IBM está vendendo computadores pessoais?"

"Ah, essa é uma moda que passa daqui a pouco. Esse negócio é muito complicado de usar para virar um produto de consumo de massa."

"Mas nossas vendas estão caindo, e as deles estão crescendo."

"Isso é bobagem. Veja há quantos anos somos líderes desse mercado e agora, com a máquina de escrever elétrica, vamos aumentar muito as vendas."

Fase de explosão:

Um dia, o diretor financeiro entra na reunião e desabafa:

"Vamos ter de capitalizar a empresa. Nosso fluxo de caixa está estourado. Nosso estoque está lotado de máquinas de datilografar e as lojas estão nos pressionando para devolver nosso último modelo. Parece que todo mundo quer os computadores pessoais."

O presidente decreta:

"Vamos diminuir nossos preços e aumentar o prazo para o pagamento. Vamos investir em marketing. Quero ver se a IBM vai conseguir manter as vendas. Nosso produto é imbatível."

O problema das quedas de vendas vai aumentando a cada mês e o diretor comercial não sabe mais o que fazer para encontrar uma maneira de vender seu produto. A maior dificuldade, porém, é fazer a diretoria perceber que a queda nas vendas é um problema que está se repetindo e que é preciso resolver a sua causa.

Fase de danos:

As vendas continuam caindo. As lojas pressionam para a fábrica aceitar devoluções. O departamento de produção incrementa as pesquisas para desenvolver novos modelos de máquinas de escrever, mas o prejuízo vai aumentando até que os acionistas decidem fechar a empresa.

"Roberto, o mais curioso é que a reportagem dizia que, anos depois, aconteceu exatamente isso com a própria IBM, quando a empresa viu cair as vendas de seus notebooks Think Pad! *As vendas começaram a diminuir sistematicamente, e imagino que eles provavelmente devam ter discutido por meses seguidos sobre o que fazer para estimulá-las, até ver o rombo financeiro crescer.*

Até que um dia alguém deve ter percebido que os computadores tinham virado uma commodity *e que eles deveriam mudar seu foco. Foram inteligentes, venderam o negócio de computadores para os chineses da Lenovo e se dedicaram a um mercado em que eles tinham realmente liderança."*

"É preciso ficar atento, pois muitas vezes o problema dos outros pode vir a ser o seu problema."

"Você tem razão. É exatamente isso o que está acontecendo na empresa em que trabalho: nós não estamos resolvendo de verdade a fonte de nossos problemas, mas eu ainda não descobri como faço para deter a hemorragia..."

"Mais uma vez, use o método. Mas você deve usar um método com enfoque diferente, ou seja, deve utilizar o que é adequado para cortar o mal pela raiz."

MÉTODO "CORTE O MAL PELA RAIZ"

Passo 1: Descubra as causas do problema.
Passo 2: Tenha um projeto claro de solução.
Passo 3: Implemente as mudanças.

Passo 1: Descubra as causas do problema

Você vai observar que, quando as pessoas estão no meio de uma explosão, elas têm dois tipos de reação: ou correm de um lado para o outro para ver se resolvem o problema ou ficam paralisadas de medo.

Nenhuma das duas alternativas resolve verdadeiramente o problema. Você pode ajudar as pessoas a conseguirem o melhor resultado possível, mas lembre-se de que se o incêndio está sendo alimentado por energia elétrica seu desafio é descobrir onde está a caixa de energia, para que possa desligar a fonte do problema.

Enquanto os outros estiverem se perguntando: "O que posso fazer para resolver esse problema?", faça a pergunta fundamental: "Qual é a causa desse problema?". Ao responder a essa questão e desligar a fonte do problema, você vai mudar a vida da empresa e definir o futuro de sua carreira.

As causas do problema são a fonte de alimentação dele. O profissional de verdade deve ir direto a elas, porque não pode deixar um incêndio consumir tantos anos de dedicação que foram necessários para construir aquele negócio.

Entretanto, há um ponto fundamental nessa análise: nunca existe uma causa única para um problema. Sempre são várias as causas. Não adianta você acusar seu sócio de ser responsável pela atual crise que vocês estão vivendo, nem imaginar que um consultor sozinho vai resolver todas as dificuldades que estiverem vivendo!

PROBLEMAS? OBA!

Se o diretor comercial não está sendo eficiente, onde está o trabalho do presidente que não o está orientando? Se a equipe de vendas não está vendendo, onde está o trabalho do pessoal de marketing que não faz uma promoção sensacional para aquele produto? Como dizem os especialistas da aeronáutica, para fazer um avião cair é necessário que vários erros ocorram simultaneamente. O mesmo ocorre em uma empresa. Para que um problema consuma uma empresa, é preciso que vários erros aconteçam ao mesmo tempo.

Em geral, podemos dizer que as causas dos problemas nas empresas são de três tipos diferentes:

- Problemas que se originam com **pessoas**.
- Problemas que se originam no **sistema**.
- Problemas que se originam em **produtos e serviços**.

Problemas que se originam com pessoas

Benjamin Disraeli, ex-primeiro-ministro do Reino Unido, dizia: "O homem não é produto das circunstâncias. As circunstâncias são produto dos homens". Ou seja, os problemas que você vai enfrentar são consequências das ações das pessoas na empresa.

Por isso eu digo: a maioria dos problemas que você vai precisar resolver em uma empresa começa com as pessoas. Quando as pessoas não estão conectadas a um mesmo propósito na empresa, ou não são competentes para realizar determinada atividade, ou ainda não têm consciência da importância do seu papel, surgem as dificuldades.

Os problemas aparecem, portanto, quando as pessoas não fazem o que se espera que elas façam. Quando as pessoas fazem o que se comprometeram a fazer, as metas se realizam; quando não fazem, os problemas acontecem.

99

E por que as pessoas não fazem o que prometeram? Basicamente por duas razões:

- Elas não sabem como fazer.
- Elas sabem como fazer, mas não estão comprometidas com os projetos da organização.

Vamos falar, por exemplo, de um dos maiores problemas que podem acontecer em um hospital: a infecção hospitalar. Um dos mais importantes elementos para evitá-la é a higienização rigorosa. Mas eu já presenciei várias vezes técnicos de enfermagem em início de treinamento que não realizavam esses procedimentos, e médicos veteranos que usavam a máscara cirúrgica cobrindo apenas a boca e deixando o nariz de fora.

O técnico de enfermagem precisa de orientação e treinamento, mas o médico precisa de uma conversa séria para tomar consciência de que é preciso sacrificar seu conforto para ajudar a tornar o centro cirúrgico mais seguro.

Em minha opinião, as pessoas ignorantes são mais fáceis de ser orientadas do que aquelas que sabem o que deveriam fazer, mas não fazem. Um médico como esse precisa responder a algumas perguntas para perceber o que sua falha significa:

- Falta de comprometimento?
- Desejo de sabotar o projeto?
- Falta de maturidade?
- Acomodação?
- Tipo de personalidade?

Qualquer que seja o motivo para uma pessoa não estar agindo como deveria, ela precisa assumir o compromisso com o grupo;

e, quando ela não conseguir agir como o esperado, precisará ser colocada para fora do grupo.

Uma analogia pode ser feita com uma equipe de futebol. Imagine que você tem em seu time um atacante que não quer correr. Ele fica esperando a bola chegar no pé dele. É importante ter uma conversa séria para ver o que está acontecendo, para conseguir que ele se comprometa com o time. Se ele insistir em não participar, você tem de ser firme e encontrar outro jogador para fazer esse trabalho.

Não há dúvida de que as pessoas são a base de qualquer projeto bem-sucedido. Portanto, resumindo:

- Ensine quem precisa aprender.
- Inspire quem quer participar.
- Libere quem quer sair.

"Roberto, você tocou em um ponto importante. São as pessoas que constroem ou destroem uma empresa!"

"Sim. Em 1999, Ram Charan e Geoffrey Colvin publicaram um estudo, chamado 'Por que os CEOS caem', sobre as causas da demissão de presidentes de grandes empresas, todos profissionais que ganhavam mais de 2,5 milhões de dólares por ano.

Eu sei que os mais ambiciosos vão dizer que ninguém fica rico ganhando somente isso por ano, mas você vai concordar que é um ótimo começo!

Brincadeiras à parte, todos os CEOS pesquisados tinham um currículo sensacional e eram muito inteligentes. Então, qual foi a razão para eles não conseguirem realizar suas metas?

O motivo era que suas pessoas de confiança não faziam o que prometiam e eles demoravam muito tempo para perceber que, às vezes, alguém que tem todas as condições de produzir não entrega o resultado.

Alguns presidentes apostavam em seu diretor comercial, mas ele não realizava suas metas. Quando percebiam, eram os próprios presidentes que estavam sendo demitidos. Outros confiavam em um diretor de marketing que não fazia o que era preciso, e eles mesmos acabavam com uma marca negativa no currículo.

Os autores propõem até um teste para que um presidente avalie a própria insuficiência:

1. *Como está seu desempenho e a credibilidade em seu desempenho?*
2. *Você está focado na execução dos planos?*
3. *Você está sendo informado das más notícias?*
4. *Sua equipe está fazendo o que deveria?*
5. *Existem pessoas descontentes em seu time?"*

Meu amigo então falou: "Isso aconteceu mesmo comigo: confiei em alguém que não produzia o que deveria."

"Esse é o perigo! Resumindo o que esses autores escreveram, as razões de apostarmos em quem não merece nossa confiança são baseadas nas seguintes crenças:

1) **Ele tem de ter sucesso**: às vezes, nossa torcida para que alguém dê certo é tanta que não percebemos que aquele profissional não está rendendo o esperado. Os norte-americanos dizem: a esperança não é uma boa estratégia. E isso é verdade! Só podemos esperar que alguém entregue o resultado ao ver seu trabalho feito.

2) **Ele é o cara! Eu o conheço há muito tempo**: nesse caso, conhecemos o profissional há muito tempo, mas não percebemos que sua cabeça mudou. Ele não está mais interessado nos projetos da empresa. Seu foco está voltado para outras coisas. Ele já mostra que quer sair da empresa há muito tempo, mas ninguém

PROBLEMAS? OBA!

dá atenção a isso. Por isso, penso que quando uma pessoa que sempre foi competente não está rendendo há algum tempo, é preciso haver uma conversa, olhos nos olhos, para ver se ainda existe brilho. Se a paixão pelo trabalho e pela empresa foi embora, o melhor é deixá-lo seguir seu caminho em outra empresa.

3) **Eu posso treiná-lo**: o profissional não é da área, mas a arrogância do líder cria a ilusão de que ele vai transformar a pessoa para desempenhar determinada função. Contudo, ele não tem talento para aquilo e, depois de um tempo, acontece uma decepção gigantesca. O goleiro tem de jogar no gol, assim como o centroavante tem de marcar gols. Se você aloca o profissional no lugar errado, não adianta tentar treiná-lo para fazer algo em que ele não é o melhor. O profissional não vai render porque não tem habilidades para o cargo no qual você o colocou. É preciso compreender que existem atividades que uma pessoa não consegue aprender porque não fazem parte da sua personalidade, não estão entre seus talentos. No entanto, se mesmo assim você insistir em investir tempo nessa pessoa, o prejuízo será certo, tanto para ela quanto para a equipe e para a empresa.

4) **Alguém com "esse currículo" não pode falhar**: pode falhar sim, e falha muitas vezes. Não importa quem seja, porque o currículo mostra só o passado. E o passado não é garantia de bom desempenho para ninguém. O futuro exige que você mostre no presente algo parecido ou melhor do que fez no passado. Porém, somente quem tem consciência de que é preciso continuar aprendendo é capaz de usar o passado como base para falhar menos. Mesmo assim, ainda vai falhar em muitos momentos.

A ilusão do profissional infalível é especialmente alimentada quando uma empresa de *headhunter* indica alguém com muito entusiasmo.

5) **O salvador de araque:** é o tipo de profissional que faz pose de comprometido, mostra que entende de tudo e está sempre se autovalorizando. Nas reuniões, dá palpites, fala como as coisas deveriam ser e assume a responsabilidade por tocar o projeto e liderar a equipe. Passados alguns dias, a equipe que trabalhou muito não consegue entregar os resultados porque esse super-homem não entregou a sua parte. Então, ele surge somente aos "45 minutos do segundo tempo", com uma ideia brilhante para tentar salvar a empresa, mas quase sempre o resultado é negativo. Só que todos ficam iludidos com ele, porque sempre se oferece para apagar o incêndio, mas na verdade sempre deixa o circo pegar fogo.

Quando acontece um atraso em um projeto e a pessoa assume a atitude de super-homem para salvar a situação, todos na equipe vão aplaudi-la. Quando as pessoas perceberem, porém, que os atrasos são frequentes, começarão a pressioná-lo e, depois de algum tempo, estarão rindo de suas promessas

Essas ilusões com profissionais que não entregam resultados vão desgastando a equipe e, quando menos se espera, todos seus defeitos passam a ser atribuídos também à equipe:

- Se eles mentem, a equipe vai ficar com a imagem de mentirosa.
- Se eles são preguiçosos, a equipe vai passar por preguiçosa também.
- Se tiver alguém que deixa tudo pela metade, a equipe vai ficar com a imagem de que não termina nada.

Por isso, não deixe quem faz tudo pela metade fazer parte da sua equipe. Quem resolve problemas pela metade, quando muito, terá um salário pela metade, uma carreira pela metade, prestígio pela metade. Viverá sempre à sombra daqueles que trazem soluções definitivas. Ficará sempre nas funções intermediárias. E, no final, a equipe e a empresa correm o sério risco de ser malvistas.

Na primeira vez que alguém trouxer a você um problema, você vai gritar: "Problemas? Oba!". Entretanto, na segunda vez que o mesmo problema aparecer, você vai precisar conversar com essa pessoa para descobrir por que isso está acontecendo. Resolver esse problema vai ajudar essa pessoa a melhorar seu desempenho.

O presidente da sua empresa vai deixar de acreditar em você se você permitir que sua equipe não resolva o problema. Construa sua equipe de forma que ela seja competente e comprometida com os projetos.

Há algum tempo, assisti a uma entrevista do diretor-geral do Manchester United, time de futebol do Reino Unido. À frente do clube, ele ganhou muitos campeonatos, inclusive o da Champions' League.

Perguntaram a ele qual era a razão do sucesso da sua gestão, ao que ele respondeu: "É ter um time sensacional". Então, o entrevistador perguntou: "E como criar e manter um time sensacional?".

E ele respondeu: "Naturalmente, ter alguns craques ajuda. Mas um time não pode ter somente craques, pois senão teríamos uma guerra de vaidades. É preciso haver também alguns jogadores que corram pelo time. Precisamos ter alguns jogadores novos que lutem para ser valorizados. Todos os anos, no final da temporada, temos de dispensar alguns jogadores sensacionais que estão conosco há algum tempo, mas que já perderam a motivação. Precisamos ter jogadores ótimos que aceitem ficar na reserva com paciência, mas que lutem para ser titulares. Com esse trabalho, conseguimos sempre manter uma equipe sensacional".

Assim também precisa acontecer com a equipe da sua empresa. Ela precisa ter alguns craques, mas também precisa dos carregadores de piano. Precisa dos veteranos para dar tranquilidade à equipe, mas também dos jovens que coloquem a energia de quem quer um lugar ao sol.

No entanto, acima de tudo, é fundamental que cada pessoa esteja comprometida em entregar os resultados que prometeu. É preciso que cada uma dê à equipe o seu melhor, para atingir a excelência buscada.

Os bombeiros têm uma consciência muito forte do que é um bom trabalho de equipe e um grande compromisso com a excelência. Afinal, é disso que dependem muitas vidas. Sobre isso, José Eduardo da Silva, um sargento dessa corporação, ensinou-me duas ideias que expressam bem os valores do corpo de bombeiros:

"Nós, bombeiros, temos um tempo máximo para sair e enfrentar os problemas: um minuto à noite e 30 segundos de dia. Podemos estar fazendo qualquer coisa, mas qualquer coisa mesmo, que, independentemente disso, temos de parar e tomar nossos postos. Saímos tomando notas do itinerário e vamos recebendo informações do local pelo rádio, sobre o número de vítimas, os produtos que estão vazando etc.

O mais importante é que as informações sejam pertinentes, próximas da realidade do acidente, pois temos de chegar ao local prontos e em condições de trabalho, com equipamento e roupa apropriada, pois necessitamos passar uma sensação de segurança, condizente com a expectativa gerada quando os bombeiros chegam. Temos um pensamento bem definido e sempre batemos nessa tecla: 'Onde existe a expectativa do excelente, o ótimo é apenas bom'."

Os bombeiros sabem da importância do exemplo do líder. Por isso, eles dizem: "Se meu comandante para, eu sento; se ele senta, eu deito; se ele deita, eu durmo; se ele dorme, eu vou embora".

Assim, o líder não pode imaginar que sua posição permite que ele esteja fora do padrão da companhia.

Portanto, comece sempre sua busca da causa do problema

analisando o desempenho das pessoas, porque elas são a chave dos resultados da empresa.

Faz muitos anos que afirmo: empresas campeãs são construídas por profissionais campeões.

Aliás, como está o desempenho de sua equipe?

Problemas que se originam no sistema

Nenhuma empresa, por mais lucrativa que seja, sobrevive à improvisação. Crescimento precisa ser sinônimo de organização!

Isso acontece na vida de uma empresa e acontece na vida de uma pessoa. Quando uma criança é pequena, em seus primeiros anos ela faz mesmo bagunça, mas à medida que cresce vai amadurecendo e aprendendo a organizar-se.

Crescer de verdade implica organizar-se. Caso contrário, o crescimento não se sustenta. Não é preciso haver a rigidez da falta de criatividade, mas a organização evita o gasto de tempo, de energia e dinheiro. Profissionais bagunceiros acabam destruindo o negócio, pois o desperdício mata o lucro.

Quando você analisa a causa de um "incêndio", descobre, muitas vezes, que ela é uma total desorganização dos processos e do uso dos recursos. Cada vez mais, a organização deve ser uma constante na vida de qualquer negócio de sucesso. Japoneses, alemães e norte-americanos são os reis da organização em suas companhias. E os ótimos resultados deles comprovam o quanto isso é a melhor escolha.

Há alguns anos, participei de um congresso sobre organização de sistemas e havia um grande debate sobre a pintura das portas na linha de montagem dos carros. Alguns defendiam que as portas deveriam ser pintadas antes de ser colocadas nos carros e outros afirmavam o contrário.

O debate foi acirrado e cada um sustentava seus argumentos.

Até que começaram as considerações finais e um dos apresentadores acabou com o estresse do impasse afirmando: "O mais importante não é saber qual das duas escolhas é a melhor! O mais importante é definir uma das duas opções para que os profissionais tenham claro o que eles têm de fazer".

Verdade! Às vezes, os diretores têm pontos de vista diferentes, mas mais do que nunca é preciso definir o sistema para que todos saibam o que é preciso fazer. Seria impossível montar milhares carros por dia se toda vez um funcionário tivesse de decidir se pinta a porta antes ou depois de ser colocada.

Em uma empresa, é necessário que exista sistema para tudo.

Os norte-americanos dizem que se existe um sistema no seu negócio, então você tem uma empresa. Se não há um sistema, então você tem só um grupo de pessoas que sobrevivem juntas.

O pessoal do McDonald's tem uma empresa afinada porque tem sistemas definidos para tudo. As pessoas não precisam perguntar para o chefe o que fazer a todo o momento. Está escrito e estabelecido, e eles sabem que o sistema é mais importante que o chefe. O McDonald's é um dos melhores exemplos de empresa com sistema. O dono do negócio pode tirar férias porque sabe que sua equipe vai executar o que está escrito.

Você já reparou que sempre que você faz um pedido, o atendente lhe oferece algo mais? Você pede um hambúrguer e eles oferecem batata frita. Você aceita a batata frita e o caixa oferece um refrigerante. Eles vão oferecendo mais alguma coisa até você dizer "Não, é só isso mesmo!", e aí eles param. Isso faz parte do sistema deles para aumentar as vendas. Os resultados são muito melhores do que se eles deixassem a critério do atendente vender ou não outros produtos ao cliente.

Será que na sua empresa o sistema decide para a sua equipe o que oferecer aos seus clientes ou cada vendedor faz da sua maneira?

Você também já deve ter reparado que as batatas fritas do

McDonald´s estão sempre fresquinhas e crocantes. Isso acontece porque está previsto no sistema que toda batata que estiver frita há mais de 7 minutos deve ser jogada fora. A batata frita tem um prazo de validade curto, o que garante a qualidade do produto vendido.

Se no caso das batatas do McDonald's, por exemplo, o sistema determinasse que "as batatas que não estão apetitosas precisam ser jogadas fora", isso daria uma abertura para que cada atendente definisse o que fazer a seu critério. Então, se alguém ali gostasse de batatas murchas, ele acharia que elas estão adequadas para vender aos clientes.

No Japão, as redes de lojas de conveniência vendem comida pronta, como *oniguiri* (bolinhos de arroz), *sushis*, lanches e pratos prontos. Contudo, está previsto no sistema dessas lojas que todos esses produtos têm validade máxima de 12 horas. Passado esse tempo, o produto é descartado, sem nenhum questionamento.

Em uma editora, por exemplo, existem vários sistemas que têm de ser respeitados e realizados para minimizar o risco de produzir livros que possam encalhar e, por outro lado, para garantir que sejam produzidos livros que ajudem o leitor em seus objetivos.

Há um sistema de produção de livros que deve ser seguido sempre, desde a definição do tema, até a criação do nome e da capa, da campanha de lançamento até o recebimento dos exemplares impressos da gráfica. Cada etapa é programada e executada segundo padrões muito bem definidos. E se, apesar desse sistema todo, ninguém pode garantir que um livro vai ser um sucesso, imagine o que acontece quando as pessoas produzem um livro de qualquer maneira.

Para funcionar bem, um sistema não pode ter flexibilidade. Ele tem de ser discutido intensamente antes, mas, depois da deliberação, ele tem de ser definido e respeitado. Certamente, de tempos em tempos, ele tem de ser revisado para ver se pode ser melhorado, mas, após cada discussão, as ideias que não foram escolhidas devem ser descartadas. As pessoas não podem ter a opção da dúvida nem espaço para interpretações erradas.

Portanto, a existência de desorganização na empresa significa a presença de um ou vários destes fatores:

- Inexiste um sistema de trabalho.
- Existe o sistema, mas ele está errado ou desatualizado.
- Existe o sistema, mas ele é muito aberto e deixa margens para que o funcionário tenha de decidir o que fazer.

"Sistema falho é sinal de desperdício!"

"Roberto, a que tipo de desperdício, especificamente, você está se referindo?

"Aos que as pessoas costumam ter com mais frequência: tempo, dinheiro e energia. As empresas não podem se permitir esses desperdícios. Por isso, a organização é fundamental!

É preciso muito cuidado para que um sistema esteja bem estruturado e adequado aos objetivos da empresa e que as pessoas estejam conscientes da importância de respeitá-lo. Essa é uma reflexão obrigatória para os líderes a fim de definir como podem aprimorar os sistemas dos seus negócios.

Problemas que se originam em produtos e serviços

Fico chocado ao perceber como as pessoas e as empresas desprezam a inteligência de seus clientes. Muitas vezes oferecem produtos medíocres e querem que as vendas sejam especiais.

Um aviso aos navegantes: muitas vezes, seus clientes conhecem seus concorrentes melhor que você. Com a internet, eles sabem o que todos os concorrentes estão produzindo e escolhem entre os melhores. Os clientes sabem o que querem!

Infelizmente, a maioria dos profissionais fica procurando

PROBLEMAS? OBA!

justificar por que os clientes deveriam comprar seus produtos em vez de analisar a razão pela qual não estão vendendo.

Resolver problemas dentro da empresa em que trabalha exige que você esteja sempre em busca da excelência dos produtos e dos serviços que são oferecidos aos clientes. Portanto, tenha sempre em mente que:

- Produtos inadequados ao perfil do consumidor não vendem.
- Produtos que não entregam o que prometem caem em descrédito e passam a não vender mais.
- Serviços que não atendem à necessidade do cliente deixam de ser procurados.
- Produtos que ficaram ultrapassados não vendem. Lembre-se dos exemplos das máquinas de escrever Remington, dos toca-fitas, dos disquetes e dos videocassetes. Cursos sobre finanças que mandam as pessoas simplesmente economizarem e fazerem investimentos estão ultrapassados. Vendem pouco e vão vender cada vez menos.

Um produto tem de ter qualidade e competitividade, senão vai ficar brigando a vida inteira em busca de clientes sem apresentar resultados. Um produto precisa fazer frente à concorrência para ter chances de vender.

Por exemplo: os carros japoneses superaram os carros norte-americanos. Depois, os carros coreanos superaram os carros japoneses. Agora, tudo indica que os carros chineses vão superar os carros coreanos. E não seria nenhuma surpresa se daqui a pouco começarmos a ver os carros norte-americanos assumirem a liderança de novo.

No caso de você ser um profissional liberal, precisa criar um atendimento diferenciado para ser a primeira opção na lista de alternativas do cliente.

É preciso criar produtos e serviços especiais, do contrário, será preciso ficar cortando custos sempre. E cortar custos não é a melhor solução. É preferível investir e criar produtos melhores, para aumentar o faturamento. É fundamental estar atento ao mercado, para que você tenha parâmetros para avaliar se o que você oferece é capaz de vencer a concorrência. Tenha uma visão integrada e analise o todo.

Analise: sua empresa produz um produto sensacional, que todos querem comprar, ou espera que as pessoas comprem o que sempre compraram, sem perceber que elas têm outras escolhas? Pessoas, sistemas e produtos especiais criam o sucesso. E a falta de qualquer um deles representa problemas à vista!

É muito importante você não se iludir, cuidando apenas de um sintoma em vez de procurar a causa do problema. Um psicoterapeuta inexperiente não tem um sistema que funciona porque ele, em geral, fica conversando sobre os sintomas dos clientes em vez de ajudar a mergulhar na solução das causas.

Nesse sentido, sempre admirei o doutor Eric Berne, psiquiatra canadense que dizia que existem dois tipos de pessoas: os profissionais e os amadores. Os amadores ficam tratando dos sintomas, enquanto os profissionais tratam das causas de um problema. Ele contava uma história bastante didática sobre esse tema:

Imagine que um homem infectou o calcanhar com um espinho. Ele vai começar a mancar ligeiramente, pois os músculos da perna se contraem. Para compensar essa contração, os músculos das costas se contrairão também e depois os músculos da nuca, acabando por provocar uma forte dor de cabeça.

Com o tempo, começam as dores na coluna vertebral. A infecção trará também febre, aceleração do pulso e, frequentemente, afetará os batimentos do coração. Depois, com o aumento da infecção, é possível que comecem as náuseas, os vômitos e a febre alta, com um possível quadro de alucinações.

PROBLEMAS? OBA!

O médico amador vai dizer para a família levá-lo ao ortopedista para cuidar das dores da coluna vertebral, ao gastroenterologista para tratar os sintomas digestivos, ao cardiologista para cuidar do coração, ao neurologista para ver as dores de cabeça, ao psiquiatra para cuidar dos sintomas mentais e, como a perna está muito inchada, talvez seja necessário visitar um cirurgião vascular para ver se há necessidade de amputá-la.

Um médico amador ainda poderá dizer que o caso é muito grave e, com tantas complicações, o tratamento será demorado e certamente deixará sequelas, além de custar muito caro.

Nesse momento, um médico profissional vai olhar o paciente e dizer: "Seu calcanhar está infectado por causa de um espinho". Vai até a estufa, busca uma pequena pinça, tira o espinho e medica o paciente de acordo com esse diagnóstico.

A febre baixa, o ritmo das pulsações volta ao normal, os músculos da nuca e das costas distendem-se, os músculos dos pés relaxam, cessam os vômitos, os batimentos cardíacos se regularizam e o paciente recupera a saúde. Assim, o homem volta ao estado normal dentro de quatro ou cinco horas, talvez até menos.

Agora, pense um pouco: você tem agido como um médico amador, que corre atrás dos sintomas, ou como um profissional, que descobre as causas e resolve o problema rapidamente?

Passo 2: Tenha um projeto claro da solução

Depois que você já identificou claramente as causas do problema, é preciso desenhar um projeto objetivo da solução.

Para que um projeto de solução seja eficaz, é necessário definir dois pontos fundamentais: o primeiro deles é **ter um objetivo claro** e visualizar a situação que você deseja construir com a solução do problema. O segundo é **montar uma estratégia** que vai viabilizar a realização desse objetivo.

Defina seus objetivos, pois quem não sabe o que quer nunca sabe o que vai conseguir.

Nesses mais de trinta anos ajudando as pessoas a realizar seus sonhos, recebi muitos convites de grandes empresários para orientar seus filhos e tenho uma constatação muito clara: ajudei muito pouco àqueles que me procuraram sem saber o que queriam, mas ajudei muito àqueles que tinham objetivos bem definidos.

Saber qual é seu destino é fundamental para alcançá-lo, pois, como disse o poeta Edson Marques: "A direção é mais importante que a velocidade". Sem dúvida: se você estiver na direção errada, quanto maior for a velocidade, mais depressa você se distanciará de seu destino.

Uma vez que você identificou o problema e verificou quais são suas causas, analise os dados relacionados a ele para estabelecer uma meta para sua solução e elaborar um plano de ação. A partir daí, é possível montar uma estratégia para chegar lá.

Portanto, precisamos nos manter alertas quanto aos caminhos que estamos tomando e manter o foco na solução dos problemas que nos propusemos resolver. Manter o foco significa:

- Saber exatamente aonde você deseja chegar.
- Ter, a cada passo, uma visão das metas que você quer atingir.
- Não gastar tempo com coisas que nada tenham a ver com o seu objetivo.
- Manter anotações atualizadas sobre o ponto em que você se encontra e o ponto onde deverá estar.
- Estruturar um projeto nos mínimos detalhes para ser o mapa da solução.

Depois de criar esse plano de ação, é fundamental inspirar a equipe para trabalhar cooperativamente, para mudar a organização e fazer a revolução necessária.

Passo 3: Implemente as mudanças

Com um projeto bem definido, o passo seguinte é trabalhar com a força da equipe para executar as atividades, conforme seu plano de ação. No entanto, para que as coisas realmente possam acontecer, é fundamental ter foco naquilo que de verdade queremos.

Um dos pontos mais importantes para realizar um processo de mudança é ter claro que algumas pessoas sempre vão resistir à mudança, e, principalmente, que algumas vão procurar sabotar esse processo.

Temos de avançar, apesar de todas as resistências, e um dos aspectos fundamentais é não deixar que sentimentos, emoções negativas ou situações desagradáveis atrapalhem.

Muitas vezes, um dos diretores não executa o que prometeu porque pensa que essa mudança vai destruir a empresa. Não é maldade. Simplesmente ele não consegue acreditar que isso vai dar certo.

Uma pessoa que se acostumou a ganhar dinheiro com disquetes não consegue ver a necessidade de mudar para vender *pendrives*. No entanto, depois que vir o aumento das vendas, ela será a primeira a avançar. Infelizmente, algumas raras vezes, será preciso procurar um novo profissional para aquela posição, porque a pessoa não conseguiu integrar-se ao novo processo.

O mais importante é que você esteja à frente da execução desse processo. Sua participação ativa será o farol para onde sua equipe vai olhar para definir o próximo passo.

Faça reuniões periódicas com seus colaboradores para avaliar os resultados e redirecionar as ações. Participe das reuniões de planejamento e apoie seu grupo de colaboradores. Deixe sempre muito claro para todos qual é a importância do projeto para os clientes e para a empresa.

Mantenha uma *checklist* atualizada sobre o acompanhamento da solução do problema. Essa *checklist* lhe dará, a qualquer momento, informações sobre como andam os procedimentos. Procure sempre responder a perguntas como:

- Em que ponto estamos.
- Em que pontos estamos parando.
- O que podemos fazer para adiantar esse processo.

Colete essas informações com frequência e no local em que os procedimentos acontecem. Você precisará agir de acordo com o andamento do processo e da avaliação de desempenho de cada um. No caso de desvios da meta, reposicione o processo e execute eventuais correções no plano de ação.

Lembre-se: o comprometimento é sua disposição constante para resolver o problema das pessoas. Estar presente na solução dos problemas também é valorizar sua equipe e saber comemorar com ela os bons resultados.

Estar comprometido é dar aquele passo a mais, é fazer a mais, sem que ninguém tenha solicitado. É surpreender sempre, fazendo mais do que se espera de você.

Um novo negócio

Depois de alguns meses sem contato, meu amigo me ligou pedindo que eu conversasse com seu chefe, pois a empresa estava sofrendo com as investidas de um grande concorrente.

Nessa conversa, meu amigo e o chefe dele me falaram das dificuldades que enfrentavam. Ouvi com atenção e, sem me deixar contaminar pelas preocupações que traziam, percebi que eles tinham imensas oportunidades pela frente.

"O que você acha, Roberto, que podemos fazer para ajudar a empresa a sobreviver a essa concorrência pesada?"

"Vocês precisam resolver os problemas dos seus clientes melhor que seus concorrentes", respondi.

Na verdade, a grande competição que existe entre dois concorrentes é somente para ver quem resolve melhor o problema dos consumidores de seus produtos e serviços.

Se você tem uma clínica veterinária, mas não atende o cliente quando seu cão tem uma crise de cólicas em plena tarde de domingo, é claro que ele vai procurar seus concorrentes. Se os clientes estão insatisfeitos, você vai perdê-los para o mercado.

Se você se sente ameaçado por um concorrente é porque não tem certeza de que resolve os problemas como deveria. Vamos analisar juntos.

Você vai construir uma casa. Será que você está interessado em simplesmente contratar um arquiteto qualquer? Provavelmente não. É claro que você vai querer contratar um profissional que desenhe sua casa respeitando seus valores, valorizando seu estilo de vida e coordenando a obra com excelência e precisão.

Existe alguém interessado em contratar um seguro de automóvel? Na verdade, não. As pessoas querem ter uma fonte de tranquilidade para todos os assuntos relacionados ao seu carro, como seguro para colisões, guincho e chaveiro.

Andrew Mason, fundador e presidente do Groupon, o maior site mundial de compras coletivas, disse sobre o grande sucesso de seu empreendimento: "Nosso crescimento tem tudo a ver com o tamanho do problema que estamos ajudando a resolver". E qual é o problema que essa empresa ajuda a resolver?

Os clientes queriam conhecer novos produtos sem ter de arriscar-se a gastar muito. As empresas desejavam mostrar seus produtos e serviços para novos clientes sem precisar investir em propaganda.

O Groupon resolveu os problemas das empresas e dos clientes: para os clientes, descontos imensos para que conhecessem novos serviços pagando pouco; para empresas, a oportunidade de cativar novos consumidores.

Por que você consulta o Google em vez dos concorrentes dele? Porque ele resolve melhor seu problema de encontrar informações significativas para suas pesquisas.

Por que a loja ao lado de seu escritório fechou? Porque não conseguiu resolver os problemas dos clientes.

"Espero que tenha ficado claro que resolver problemas é a ignição de tudo o que é produtivo na vida profissional, no mundo dos negócios e até na vida pessoal."

PROBLEMAS? OBA!

"Mas, Roberto, como, na prática, podemos impedir que aquela multinacional destrua o nosso negócio?"

"Simples assim: primeiramente, procure saber se eles têm uma solução melhor que a sua. Depois, vocês terão dois caminhos: aperfeiçoar a solução de vocês ou procurar outro problema novo para resolver, no qual esse concorrente não atue."

Há algum tempo, havia empresas que fabricavam um objeto chamado disquete, que servia para guardar e transferir arquivos de um computador para outro. Até que apareceram o CD, o DVD e depois o *pendrive*.

Cada um foi resolvendo o problema de armazenamento e transferência de arquivos melhor que o outro. A Verbatim produzia disquetes. Você pensa que ela abandonou o mercado? Não! Ela simplesmente evoluiu e foi produzindo novas soluções: entrou também na era dos CDs, dos DVDs e dos *pendrives*.

Fui pesquisar sobre como eles haviam sobrevivido ao ataque dos concorrentes que chegavam com inovações tecnológicas e vi que também estavam com novas soluções. O lema que adotaram foi: "Compre Verbatim e você vai ter inovação, segurança e confiabilidade, o que significa paz de espírito". Ou seja, eles não vendem apenas CDs, DVDs e *pendrives* para seus clientes; eles vendem boas noites de sono para eles, a partir da certeza de que seus dados de computador estão seguros.

Quando compramos um produto ou serviço, queremos mais que apenas ser atendidos. Queremos poder dormir em paz, na certeza de que o que compramos resolve nosso problema.

"A empresa de vocês, além do produto, garante noites de sono aos clientes?"

Muitas pessoas montam seu negócio, fazem sucesso inicial e logo se acomodam, achando que a empresa vai crescer por inércia. Esquecem-se de que existe a concorrência, que não dorme no ponto.

As duas guitarras mais valorizadas no mundo são as das

marcas Fender e Gibson. As duas empresas lutam entre si para resolver o problema de sonoridade buscada pelos guitarristas. Ambas são guerreiras e cada uma trabalha para atender o cliente melhor que a outra.

Você pode imaginar um músico iniciante podendo praticar sem ter de levar a guitarra para o professor afinar, ou um gênio da guitarra não tendo de esperar até o final da música para ter sua guitarra afinada? Pois esses fabricantes de instrumentos musicais fizeram isso por seus clientes. Eles criaram guitarras com autoafinação. É isso mesmo! As guitarras afinam a si mesmas quando necessário.

E mais: sabe por que um músico troca de guitarra durante um show de rock? Porque ele precisa de uma guitarra que tenha um timbre diferente para cada música. Entretanto, ficar trocando de guitarra em uma apresentação é sempre um problema, em especial quando não se tem uma equipe para cuidar dessas trocas. O que os fabricantes fizeram para resolver o problema? Colocaram em uma mesma guitarra vários timbres, que o músico pode selecionar com facilidade!

A competição entre essas duas empresas é uma das mais lindas no mundo dos negócios. A evolução de cada uma delas cria mais clientes para ambas. Mas se uma delas deixar de resolver os problemas dos clientes, certamente vai ficar para trás na história.

"Será que vocês conseguem aprimorar a solução para os problemas dos clientes de vocês?"

Percebi que meu amigo e seu chefe me olharam com a cumplicidade de quem estava aceitando entrar no jogo para ganhar um mercado melhor.

Tempo depois, meu amigo veio conversar comigo. Estava excitado com os resultados daquela nossa conversa. Ele então me disse:

"Falei com meu chefe e dividimos nosso trabalho assim: ele vai aprimorar a solução para nossos clientes, enquanto eu montarei um

*novo negócio que resolva um novo problema. E vou ter uma partici-
pação na empresa e nos lucros!"*

"Participação nos negócios? Oba!"

*"Por isso, quero lhe pedir que me fale mais sobre como montar
um novo negócio, nessa sua ideia de resolver problemas"*, meu amigo
completou.

*"O primeiro passo é ligar o radar para começar a ver os problemas
que não estão sendo resolvidos ao seu redor"*, respondi.

Descubra quais problemas resolver

Para saber quais problemas resolver, é importante estar atento
ao mundo.

Assista à televisão, ouça o rádio, leia jornais e revistas, na-
vegue na internet, converse com as pessoas. Capte os sinais de
insatisfação, busque informações no mercado, pesquise e defina
seu projeto para resolver esses problemas.

Se você trabalha com treinamento, é fácil perceber que muitas
pessoas reclamam do mau atendimento dos *call centers* das operadoras de telefonia. Quer crescer? Monte um treinamento para
ajudar as operadoras a resolver esse problema.

Busque situações que lhe permitam dizer com força:
"Problemas? Oba!".

Se você trabalha com frios e laticínios, é fácil perceber que
todos os dias surgem novas pizzarias para viagem que precisam desses produtos e não têm dinheiro para montar grandes
estoques. Quer crescer? Desenvolva uma logística para vender e
entregar frios e laticínios em pequenas quantidades, a um preço
competitivo e com um sistema de pagamento inteligente.

As pessoas que vão ao médico cada vez mais estão sem tempo de ir às farmácias para comprar remédios. Que tal resolver o

problema delas? Crie um sistema integrado às redes de farmácias, de maneira que, quando fizer a receita, o médico já possa encomendar seus remédios, para que sejam entregues diretamente no lugar em que o paciente quer receber.

Você resolve problemas? Oba! Sua empresa vai crescer!

A população está cada dia mais idosa e, portanto, mais suscetível às doenças da idade. Já imaginou a dificuldade de controlar a glicose no sangue dessas pessoas que vivem solitárias? "Problemas? Oba!" Você pode importar a tecnologia de um vaso sanitário que é fabricado no Japão e que mede a glicose da urina todas as manhãs e já envia os dados para o médico da pessoa.

"O método de criar negócios campeões, batizado por mim de Método Oba, é bem simples: escolha um problema cuja resolução dê lucro a você e ofereça ao consumidor uma solução diferenciada."

"Mas, Roberto, para mim não é fácil identificar os problemas", meu amigo afirmou.

"É só perguntar para as pessoas! Qualquer diálogo pode ser uma fonte para reconhecer oportunidades."

Você está conversando com um amigo e, de repente, ele fala: "Minha vida pessoal está péssima. Estou fazendo terapia, mas não está resolvendo...". Terapia não está resolvendo? *Problemas? Oba!*

"Estou cansada dos homens. Em todos os lugares que frequento, não há ninguém que queira algo mais duradouro." As mulheres não estão conseguindo relacionamentos satisfatórios?" *Problemas? Oba!*

"Minha empresa só dá prejuízo." Dificuldade para ter lucros com o negócio? *Problemas? Oba!*

"Tudo o que faço para diminuir minhas rugas não funciona!". Os tratamentos de rugas não estão funcionando? *Problemas? Oba!*

"Minha equipe parece que vive em outro mundo. Canso de falar para batalharmos pelos resultados, mas eles não estão nem aí!". O chefe não consegue se comunicar com sua equipe? *Problemas? Oba!*

"Este mundo está cada vez mais inseguro. Morro de medo de sair na rua." Medo de sair na rua? *Problemas? Oba!*

A lista é infinita. *Problemas? Oba!* Que maravilha!

A Solução-Ouro

"Roberto, mas está parecendo simples demais! Quer dizer que basta eu resolver os problemas dos clientes e meu sucesso estará garantido. Não é bem assim, não é?"

"É evidente que não, meu amigo. Há milhares de pessoas procurando conquistar esses mesmos clientes com suas soluções. Você vai precisar se diferenciar dos seus concorrentes."

Vamos analisar um grande problema da humanidade nos dias de hoje: as pessoas estão muito angustiadas! Esse problema será uma fonte de riqueza infinita para quem trouxer a solução. É por isso que se vê tantos profissionais e empresas querendo ajudar os outros a resolver essa questão. Vamos fazer uma pequena lista deles, para ter uma ideia:

- Psiquiatras
- Psicólogos
- Acupunturistas
- Massagistas
- Psicoterapeutas diversos
- Palestrantes
- Homeopatas
- Laboratórios farmacêuticos (com seus ansiolíticos)
- Autores de livros de autoajuda
- Religiosos
- Cursos e seminários
- Sites de comportamento e de relacionamentos

- Tarólogos
- Cartomantes
- Etc.

Existem muitas soluções e existem muitos profissionais que conseguem, pelo menos, amenizar os sintomas da angústia. Entretanto, muitos desses profissionais não conseguem resolver o problema e ficam chateados quando o paciente troca de fornecedor.

O cliente vai ficar com determinada solução se sentir que o problema dele está sendo resolvido. Da mesma maneira, ele vai embora se o problema continuar.

Portanto, sempre que procurar oferecer uma solução, fique atento para ver se o cliente percebe que ele está sendo atendido em seu problema.

O cliente é quem vai escolher o que acha que é melhor para ele. Portanto, procure entender a maneira como ele analisa e toma decisões. Não adianta o profissional dizer que o trabalho dele é melhor que o dos outros se seu consultório está sempre vazio.

Gosto quando um dos meus professores norte-americanos está ensinando um método e diz: "Essa é a maneira como eu faço meu trabalho. Sei que alguns de vocês têm o próprio método e não quero brigar para que resolvam esse problema da minha maneira. Façam do jeito que quiserem, mas comparem os resultados. Analisem-nos sempre para ver se a maneira de pensar e agir de vocês está funcionando".

Vamos falar sobre outro mercado para dar mais um exemplo. Houve um tempo em que apenas as padarias vendiam pães. Como as pessoas queriam comprar pães todos os dias, essa era uma boa maneira de atrair o consumidor. Um dia, entretanto, os supermercados também passaram a vender pães, inclusive mais barato que as padarias.

Ter um concorrente com um preço mais baixo matou muitas

Problemas? Oba!

padarias, porque ele atendia melhor à necessidade dos clientes que queriam comprar pão com preço baixo. A situação forçou as padarias a rever seus negócios. Muitas delas fecharam e outras evoluíram para um nível melhor de qualidade de seus produtos e de atendimento aos clientes. Perceberam que seus consumidores queriam também outros produtos que somente quem se dedica a essa especialidade pode oferecer.

"Em resumo, meu amigo, você tem de analisar seus resultados e os dos seus concorrentes, para saber se você tem uma Solução-Ouro, ou se pode construir uma."

"Solução-Ouro? O que é isso, Roberto?"

Uma Solução-Ouro é uma solução especial, que coloca você como um fornecedor diferenciado e geralmente torna seus concorrentes irrelevantes.

Um exemplo de uma Solução-Ouro é o Cirque du Soleil. Para eles, não importa o que os outros circos fazem, cobram ou vendem, porque criaram um mercado à parte, algo especial.

Outros exemplos são o iPod e o iPhone. Mesmo não sendo novas invenções propriamente, a Apple conseguiu criar produtos tão especiais que eles representam quase uma nova categoria de aparelhos, ainda que sejam apenas um mp4 e um telefone celular. E a Apple se tornou poderosa porque tem a mente aberta para estar entre os gigantes, mas também para estar entre os clientes e ouvir o que eles querem.

Para construir uma Solução-Ouro, muitas vezes você precisa deixar de lado tudo o que vem fazendo, para que sua mente fique livre para ver a situação a partir de ângulos diferentes.

Dizem que a carpa japonesa tem a habilidade de se adaptar ao tamanho do tanque em que é colocada. Se o tanque for grande o suficiente, ela pode chegar a 40 ou 50 centímetros de comprimento. Contudo, se for colocada em um aquário, seu tamanho não passará de 7 ou 8 centímetros.

Assim funciona nossa mente. Se mantivermos nosso modo de pensar restrito àquilo que sabemos, ou ao que estamos acostumados a fazer, ao nosso "aquário mental", não vamos crescer. Para encontrar Soluções-Ouro para os problemas, precisamos deixar nossa mente livre para evoluir.

Não fique preso ao que você faz e sempre fez, mas analise os resultados diferentes que pode oferecer para solucionar os problemas das pessoas.

Uma Solução-Ouro tem de ter algumas características especiais.

Ser diferente

Uma Solução-Ouro tem de ser diferente de tudo o que existe. Depois de analisar o que resolve o problema de um público específico, procure dar sempre um toque especial.

Certa vez, participei de um seminário em Nova York, na Quinta Avenida, e todos os dias, no final da tarde, quando saía do evento, eu via uma fila imensa de quase um quarteirão. Tenho uma mania de paulistano: não posso ver uma fila que logo quero saber o que está acontecendo. Então, fui ver a razão: um sanduíche feito por dois amigos guatemaltecos parecido com o churrasco grego do centro de São Paulo.

Tive de entrar na fila, comprar e provar; mas o sanduíche era tão grande que eu, apesar de ser muito guloso, não consegui comer tudo. O sanduíche deles era melhor que os outros de Manhattan? Talvez sim, talvez não. O diferencial deles era o tamanho do sanduíche, ou seja, ofereciam mais pelo mesmo preço, e principalmente o toque latino dos dois guatemaltecos que atendiam a todos sempre com aquele calor humano característico, apesar de trabalharem pesado todos os dias, das quatro horas da tarde até a uma hora da manhã, quando o estoque terminava.

Quando penso em alguma inovação para as minhas palestras,

não olho para o que os outros palestrantes estão fazendo. Procuro ideias nos shows de rock, nas anedotas da *stand-up comedy*, nas peças de teatro, nos filmes e, principalmente, procuro também ler os livros e fazer os cursos que não estão na moda, porque isso resulta em palestras diferenciadas. O processo de inovação tem de ser constante porque sei que o sucesso faz que muitos dos meus colegas sempre estejam olhando para o meu trabalho.

Ter consistência

Uma Solução-Ouro não pode simplesmente seguir uma moda.

Algumas fábricas estão procurando criar telefones celulares com a mesma aparência do iPhone. Se for somente para dar uma maquiagem sofisticada para um produto barato, isso pode ser uma saída provisória, porque esse produto não vai ter identidade própria e nunca vai ser uma referência na mente do cliente.

Por isso, é importante ter consistência.

Se você escolher entrar por um caminho, terá de se tornar um especialista no tema. Em qualquer área que você escolher é importante participar de congressos e ler os livros com conteúdo profundo.

A superficialidade cria sucesso superficial.

Nunca é interessante criar a sua Solução-Ouro com base em preço baixo, porque depois de algum tempo você acabará se acomodando e não vai mais criar algo especial para o seu trabalho.

Há algum tempo, um advogado que teve muito sucesso e estava havia alguns anos sem uma clientela significativa, procurou-me para uma orientação. Depois de estudarmos seu trabalho, vimos que ele havia ficado ultrapassado. Então, combinamos que durante um ano ele aceitaria clientes por um preço menor, para voltar a ser conhecido no mercado. E conversamos longamente sobre como ele deveria modernizar-se.

Falamos sobre a lei do estado da Califórnia, nos Estados

Unidos, que permite que advogados façam aconselhamento de casais que querem se separar. Esses advogados são quase terapeutas de casais. Quando um casal procura um advogado como esses para formalizar a separação, ele questiona se ainda se amam e se não querem ter uma conversa aberta antes de definir o contrato de separação.

Como o advogado que me procurou adora psicologia e terapias, perguntei se aquele não poderia ser seu diferencial no mundo tão impulsivo de separações em que vivemos. Ele achou a ideia interessante! Mas o alertei de que se ele decidisse ir por esse caminho, seria fundamental fazer um curso de psicologia e uma especialização em terapia de casais, porque quem não tem conteúdo pode até lançar uma moda, mas será facilmente ultrapassado por outros que têm profundidade no assunto.

E também deixei outra coisa bem clara: não adianta fazer alguma coisa somente porque a ideia é boa. Diferenciar-se deve ser o caminho a ser procurado. Seu diferencial deverá ser criar o melhor produto e o melhor atendimento. E você não vai poder ficar parado, vangloriando-se de ter saído na frente, porque logo os concorrentes com o mesmo ou com melhor poder de fogo vão criar produtos para superá-lo.

Dar um atendimento excelente

Independentemente de qual seja seu mercado, o atendimento tem de ser sensacional, pois um cliente não vai se esforçar para comprar seu produto neste mundo com tantas opções.

Você tem de aparecer. Você precisa estar nas redes sociais e nos eventos. Tem de fazer do seu *blog* um ponto de encontro no qual as pessoas interessadas na área possam discutir suas dúvidas e ideias. Também precisa facilitar a compra de seu produto ou serviço com uma loja virtual, com parcelamento em cartão de crédito e outros recursos que permitam compras fáceis.

Será que existem muitos advogados, psicólogos, fisioterapeutas, médicos ou cabeleireiros que aceitam cartão de crédito como forma de pagamento? E depois do atendimento, ligam para saber se o tratamento funcionou?

No caso de profissionais liberais, quantos telefonam para o cliente no dia seguinte ao atendimento para saber se ele melhorou ou se tem alguma dúvida? Meu quiroprata tem um sistema que ele chama de "prazo de validade": se o atendimento não funcionou e a dor continua, pode procurá-lo no dia seguinte que ele atenderá de graça. Ele é cuidadoso e por isso não dá oportunidade para que seu cliente procure outro profissional e não volte mais.

Quantos médicos você conhece que telefonam para seu paciente no dia seguinte à consulta, para ver se ele melhorou ou como ele está passando? Não estou falando da secretária do médico ligar, mas sim de ele mesmo falar com o paciente.

Mesmo na indústria, é preciso telefonar para saber se a solução funcionou. O cliente quer ver seu interesse nos resultados da sua solução. Aliás, ele quer ver seu interesse nele.

Esteja ao lado do seu cliente. Boa parte das pessoas trata o cliente com cortesia e atenção durante o processo de venda, cumprindo à risca todo o manual de regras para atraí-lo e fechar o negócio. Depois que o contrato é assinado, porém, esquece-se de cuidar do relacionamento com ele.

Isso é mais ou menos o que acontece com a maioria dos relacionamentos amorosos. No início da paquera, para conquistar a mulher amada, o rapaz manda flores, convida para jantar, coloca a melhor camisa, o melhor perfume e vai ao tão esperado encontro. É carinhoso, ouve atenciosamente a parceira, conta histórias engraçadas e a leva para casa. No dia seguinte, manda bombons, torpedos e marca outro encontro. Assim segue, até ele ter a certeza de que está sendo correspondido em suas intenções.

Depois de um tempo, porém, o casal se esquece de manter esse vínculo romântico. As flores passam a ser lembranças em datas especiais; os jantares se perdem em meio a agendas lotadas de compromissos, colocando a relação em risco. Depois do casamento, então, a coisa piora. Existem as saídas com os amigos, a volta para casa bem tarde, e o pior: a camiseta velha aos domingos para passar o dia inteiro em frente à televisão assistindo ao futebol. Um dia, o marido descobre que a esposa está pedindo o divórcio e ainda tem a cara de pau de perguntar o porquê!

Muitas pessoas reclamam que os amigos não telefonam, mas o começo de tudo é que elas também não ligam e, frequentemente, não retornam os telefonemas.

Alimentar a relação com seu cliente, do mesmo modo que você deve alimentar seus relacionamentos pessoais, é algo que vale ouro.

A Solução-Ouro não precisa ser caríssima nem revolucionária, mas tem de ser diferente e consistente, proporcionando um relacionamento impecável.

Então, lembre-se: você tem de escolher um problema a ser resolvido e desenvolver uma Solução-Ouro para esse problema. A melhor maneira de fazer isso é usando um método que tenha eficácia comprovada, para expandir suas possibilidades. Por isso, vou ensiná-lo a usar o Método Oba, que desenvolvi exatamente para isso.

O Método Oba para resolver problemas

"Existe um método para fazer a análise das reais possibilidades de um novo negócio, ou de um novo produto, que eu chamo de **Método Oba**. *Recomendo que você passe a utilizar esse método antes de investir todo seu dinheiro, seu tempo e sua energia em uma aparente 'grande ideia'."*

"Estou anotando, Roberto", disse meu amigo com a maior atenção e interesse.

O Método Oba consiste, basicamente, em um teste simples, mas que exige muito empenho e consciência para ser respondido. Para usar esse teste, é preciso tomar alguns cuidados importantes:

1. Seja muito honesto em suas respostas. O teste precisa de toda a sua sinceridade e isso pode ser bastante cruel quando você está entusiasmado com uma ideia que parece interessante, mas que não tem futuro. Se esse for o caso, é melhor deixá-la de lado antes de ter prejuízos. Enganar a si mesmo nas respostas pode até produzir satisfação momentânea, mas acabará se transformando em um arrependimento futuro gigantesco.

2. Você precisará responder apenas "sim" ou "não" a cinco questões. Se todas as respostas forem afirmativas, significa que você tem um nicho de mercado válido e viável para seu novo negócio, produto ou serviço. Porém, se uma única resposta for negativa, ou se você não tiver como obter as informações necessárias para respondê-la, aconselho que mude seu projeto antes que seja tarde demais para escapar do prejuízo.

3. As respostas precisam ser comprovadas. Portanto, elas não podem se basear em seu "achômetro" ou na opinião pessoal de alguém. Elas precisam ter evidências ou comprovações, para que você tenha certeza de que está respondendo com segurança. Somente assim poderá avaliar se seu produto, serviço ou empreendimento de fato pode ser bem-sucedido. A melhor maneira de ter essa certeza é fazer uma reunião com os clientes em potencial desse produto e ouvir as considerações deles sobre as questões. O maior erro que você pode cometer é desvalorizar as respostas dessas pessoas. Nosso cliente sempre fala o que quer, mas nós, muitas vezes, queremos oferecer o que nós gostamos.

Você precisa substituir a palavra *tentar* pela palavra *testar*, ou seja, deve pesquisar muito antes de investir em um novo negócio. Antigamente, muitas empresas simplesmente tinham uma ideia e colocavam esse projeto em ação. Hoje em dia, precisamos testar tudo.

Sempre que estou construindo um novo projeto, peço a opinião de um grupo de pessoas que serão os futuros clientes desse produto. Escrevo e digo várias vezes que não me interesso pelos elogios, mas sim pelas críticas ao projeto. Essas críticas é que contribuem para o aperfeiçoamento do produto, serviço ou negócio.

O Método Oba é a compilação de vários conhecimentos que

tenho acumulado e de procedimentos comprovados que venho utilizando com muito sucesso há bastante tempo. Ele tem me ajudado muito a criar meus produtos e serviços.

O Método Oba compreende a definição do problema que queremos ajudar a resolver e mais cinco perguntas a que devemos responder para fundamentar a construção de um produto. Para simplificar, o que chamo aqui de produto refere-se também a serviço, negócio ou empreendimento. O método pode ser aplicado em qualquer um desses casos.

Método Oba

Definição do problema

- Todas as informações que discutimos até aqui são a base para a definição do problema que você pretende ajudar as pessoas a resolver. Com o problema bem claro, responda às perguntas a seguir para verificar se o nicho de mercado escolhido é interessante.

Perguntas

Pergunta 1. Meu cliente potencial tem algum tipo de dor, urgência ou paixão irracional decorrentes de seu problema?

Conforme já conversamos bastante, quanto mais alguém está angustiado com um problema, mais fácil é para ele abrir a carteira e comprar seu produto. Quando ele não está angustiado, vai adiar a decisão.

Essa pergunta indica, portanto, se seu público-alvo tem de fato um problema, ou seja, se ele tem dor, urgência, preocupação ou paixão irracional que você possa vir a solucionar com seu produto ou serviço.

Dor: representa aqui alguma coisa que traz sofrimento, incômodo, desconforto. Uma dor na coluna vertebral vai fazer a pessoa tomar providências imediatas, porque envolve tanto a dor quanto os desconfortos físico e mental.

Urgência: representa uma necessidade de fazer alguma coisa para resolver o problema o quanto antes. Consertar seu telefone celular quebrado é uma urgência, contratar um funcionário eficiente é algo de que se tem pressa, pagar uma dívida antes que os juros cresçam demais é também uma urgência. Um empresário que está perdendo muito dinheiro na sua empresa vai ter a necessidade de contratar alguém imediatamente.

Paixão irracional: é um desejo que não tem base na lógica, mas é algo que alguém quer de modo profundo e apaixonado, por algum motivo emocional ou psicológico. É o problema do fã que quer comprar um ingresso para o show dos Rolling Stones ou para a final de um campeonato que seu time do coração vai disputar.

Pergunta 2. Meu cliente potencial está procurando ativamente soluções para seu problema e gastando dinheiro com isso?

Não adianta a pessoa ter um problema. É preciso que ela esteja buscando soluções para ele.

Às vezes, um problema tem natureza emocional, provoca dor, é urgente, mas a pessoa em questão simplesmente não procura a solução ou não quer ajuda. Em outras palavras, não é um cliente potencial.

Um exemplo bem dramático é o do alcoólatra. Ele tem um problema real, passa por dor e sofrimento, mas muitas vezes não quer a solução, ou seja, não quer deixar o vício e ser curado.

Certamente, há uma legião de alcoólatras que está angustiada com esse problema e isso justifica que você crie uma solução para ajudá-los, mas não podemos nos iludir achando que todos os que têm esse problema vão procurar resolvê-lo.

PROBLEMAS? OBA!

Outro exemplo de ter um problema, mas não buscar soluções, são os pais de garotos que jogam futebol. Em muitos casos, os pais são frustrados e colocam suas expectativas de sucesso nas costas dos filhos. Isso é grave, mas a maioria absoluta desses adultos não está consciente de que tem um problema e muito menos procura soluções para ele.

Tenho um amigo nos Estados Unidos que é treinador de jovens futebolistas. Ele percebeu a necessidade de os pais cuidarem desse problema e escreveu um livro bem interessante sobre o assunto. Resultado: vendas muito pobres, porque esse público não está interessado em resolver o problema.

Se você chegar à conclusão de que seu público potencial está buscando soluções, verifique se ele está gastando dinheiro com isso, ou seja, se já adquiriu algum produto ou serviço para tentar solucionar seu problema.

Se as pessoas não estiverem gastando para resolver o problema que você se propõe a solucionar, é melhor deixar sua ideia de lado. Nesse caso, não adianta você ser a melhor opção para algo que as pessoas não estão procurando.

É como ser uma professora de datilografia sensacional: hoje em dia, isso não garante que você vá ganhar muita coisa.

Pergunta 3. Existe espaço para um novo produto nesse mercado?

Você pode ter verificado que seu cliente tem um problema real, que está procurando soluções e pagando por elas. Mas se verificar que há um número imenso de fornecedores de soluções no mercado, seu esforço para entrar nesse negócio vai ser enorme e suas chances de fracassar serão maiores ainda.

Nos anos de 1970, surgiu no Brasil uma febre chamada loteria esportiva. Quando surgiu uma nova modalidade de jogo que unia a urgência de ganhar dinheiro com a paixão irracional pelo futebol, um nicho enorme foi criado, da noite para o dia.

Naquela época, obter as licenças necessárias para montar uma casa lotérica causou verdadeira corrida de interessados na oportunidade. Em poucos meses, todo o país ficou "infestado" de casas lotéricas.

O resultado foi óbvio: o excesso de oferta imediatamente transformou aquela "mina de ouro" em uma dor de cabeça infernal, que consumiu as economias de muitas famílias. Os pioneiros tiveram muito êxito, mas quem chegou um pouco depois sentiu o gosto amargo do insucesso.

Portanto, analise criteriosamente se a área em que você pretende entrar com sua solução está muito ou pouco ocupada; além disso, verifique se seu provável público-alvo já desfruta de muitas opções que verdadeiramente solucionem os problemas que ele tem.

Essa pergunta também procura saber se as soluções oferecidas estão resolvendo o problema de seus clientes, pois quando os clientes estão satisfeitos com o que já têm, a chance de entrar nesse mercado é muito pequena.

Abrir uma pizzaria para viagem pode ser muito perigoso se os clientes locais estão satisfeitos com as soluções oferecidas pelos seus possíveis concorrentes.

Nessa pergunta, a análise fria também é importantíssima, pois você pode achar que os clientes não estão satisfeitos porque você não gosta das pizzas que são oferecidas. Faça uma pesquisa com esses clientes porque são eles que decidirão onde comprar.

Pergunta 4. O número de clientes potenciais é alto o suficiente?

Depois das três perguntas anteriores, você pode chegar à conclusão de que há pessoas com problemas, que querem gastar dinheiro para resolvê-los, e que há pouca oferta de soluções no mercado. No entanto, você tem de levar em conta se o número de clientes potenciais é suficiente para sustentar seu novo negócio.

Voltemos ao caso dos alcoólatras. Ainda que muitos deles não percebam que estão sendo prejudicados pelo problema, a parte deles que procura solução ainda é significativa e merece um estudo para saber se vale a pena ser atendida.

A maneira de saber quantos são seus prováveis clientes é óbvia, mas muito pouco praticada: pesquisar e estudar.

Com a internet, a tarefa ficou muito fácil, pois há acesso instantâneo a números que podem ser essenciais para qualquer negócio. Esses números estão nos sites das associações comerciais, em reportagens de veículos especializados ou em pesquisas acadêmicas. Você só precisará arregaçar as mangas e pesquisar.

Os próprios mecanismos de busca da web, como o Google, oferecem ferramentas gratuitas que indicam quantas vezes certa palavra ou expressão é procurada. Esse pode ser um bom indício: se houver muita procura e pouca oferta, um bom nicho pode estar aí.

Se você não tomar esse cuidado, poderá cair em uma armadilha. Poderá chegar ao seguinte raciocínio lógico: os esquimós têm um grande problema, pois os fechos de suas botas emperram com o frio, não vedam direito, e eles acabam com neve nos pés. Eles sempre buscam comprar novas botas, mas nenhuma satisfatória, pois há poucos fabricantes.

Você pode ter um fecho de bota de esquimó sensacional e pensar: encontrei um nicho inexplorado. Você terá respondido "sim" às três primeiras perguntas deste método, mas o fato é o seguinte: quantos esquimós existem no Brasil para comprar seu produto?

Sem ter noção desse número, nem se atreva a montar o negócio.

Pergunta 5. Tenho uma Solução-Ouro para esse problema?

Esta é a hora da verdade. Muita gente se encanta com o número de pessoas afetadas por um problema e cria uma solução para elas. No entanto, ela é banal, igual a tantas outras que já existem no mercado, e as pessoas ainda acham que os clientes vão comprar por inércia. Não vão!

Você precisa ter uma Solução-Ouro, ou seja, a sua solução precisa ser a melhor, ser sensacional, campeã, de altíssima qualidade. Precisa ter algo melhor ou diferente de tudo o que existe por aí.

Não adianta se enganar encontrando qualidades no produto que têm a ver mais com a vaidade do criador do que com o problema do cliente. O grande segredo, talvez o maior de todos, é encarar sua solução com os olhos do cliente, e não com o olhar do criador da solução.

Você precisa ter uma maneira de resolver o problema melhor do que o que se vem fazendo. É necessário haver um diferencial, ou seja, um apelo que faça as pessoas quererem o seu produto mais que qualquer outra coisa que elas tenham conhecido até então.

Se você tiver uma Solução-Ouro e tiver respondido afirmativamente a todas as outras perguntas deste teste, parabéns! Você deu o primeiro passo para um estrondoso sucesso.

O próximo passo é estruturar um plano de negócios e avançar com determinação.

UM EXEMPLO MEU:
O SEMINÁRIO *OS SEGREDOS DOS PALESTRANTES CAMPEÕES*

Há muitos anos, nós, da Editora Gente, temos formado novos escritores e palestrantes.

Um dia, eu estava conversando com o diretor de treinamento de uma grande empresa de telecomunicações e ele comentou que estava sofrendo para encontrar palestrantes que dessem um show, mas ao mesmo tempo tivessem conteúdo. A companhia

PROBLEMAS? OBA!

tinha mais de mil eventos para organizar naquele ano e estava com dificuldades para encontrar palestrantes em condições de atendê-los.

Ele já tinha contratado os melhores do mercado, mas não havia uma renovação entre os palestrantes, de modo que não existiam opções novas. Imediatamente, pensei: "Ele tem problemas para encontrar palestrantes? Oba! Vou formá-los".

Estudei o tema e constatei que executivos, empresários e profissionais liberais estavam tendo de fazer palestras para apresentar seus projetos, mas não estavam satisfeitos com o preparo obtido na maioria dos cursos de oratória.

Eles estavam com dificuldades para fazer palestras? Oba! Vou ensiná-los.

Com esses problemas para ajudar a resolver, apliquei o Método Oba e, em 2010, lancei um produto que se transformou em um enorme sucesso: o seminário *Os Segredos dos Palestrantes Campeões*.

Resolvi reunir em um curso intenso e concentrado mais de 30 anos de minha experiência como um dos palestrantes mais requisitados do Brasil, como escritor com mais de 6,5 milhões de livros vendidos e como presidente da Editora Gente para ensinar um grupo de pessoas interessadas em mudar o mundo por meio de sua mensagem.

Nas turmas desses seminários, havia vários palestrantes experientes, outros em início de carreira, além de muitos empresários, executivos, médicos, artistas e comunicadores.

Usamos o Método Oba para descobrir se teríamos um público significativo para compensar todo o investimento que faríamos. Eis a seguir um resumo de nossas respostas e o raciocínio por trás da definição desse projeto.

Método Oba

Seminário *Os Segredos dos Palestrantes Campeões*

Pergunta 1. Meu cliente potencial tem algum tipo de dor, urgência ou paixão irracional decorrentes de seu problema?

Resposta: SIM. Existem muitos eventos que precisam de novos palestrantes, assim como empresários, executivos e profissionais que necessitam fazer palestras para mostrar sua empresa ou seu trabalho e turbinar seus negócios.

Pergunta 2. Meu cliente potencial está procurando ativamente soluções para seu problema e gastando dinheiro com isso?

Resposta: SIM. A procura por cursos de oratória, de desempenho de palco, de produção de *slides* e apresentações, e de livros sobre o tema tem crescido muito nos últimos anos.

Pergunta 3. Existe espaço para um novo produto nesse mercado?

Resposta: SIM. A maioria dos cursos nessa área não é abrangente o suficiente para integrar a necessidade que um palestrante tem de transmitir conteúdo, de ter uma *performance* de palco sensacional, de conquistar desenvoltura para falar com a imprensa e de saber escrever um livro que transmita sua mensagem com inspiração. Os novos palestrantes precisam ter uma *performance* de palco sensacional, um livro poderoso e o conhecimento para atender a imprensa com energia? Oba! Eu tenho a solução.

Pergunta 4. O número de clientes potenciais é alto o suficiente?

Resposta: SIM. O mercado de palestras vem crescendo muito no país, segundo dados de instituições como a Associação Brasileira de Treinamento e Desenvolvimento (ABTD). Há muitas pessoas interessadas em tornar-se palestrantes, e, para quem já

PROBLEMAS? OBA!

pratica a atividade, há grande interesse em melhorar seu cachê. Executivos precisam cada vez mais ter um bom desempenho em suas apresentações corporativas, pois os eventos são prática rotineira nas organizações hoje em dia.

Pergunta 5. Tenho uma Solução-Ouro para esse problema? Resposta: SIM. Posso usar minha experiência, de mais de 30 anos, em ministrar palestras pelo mundo afora para ensinar as pessoas a se tornarem palestrantes sensacionais. Além do mais, minha experiência como palestrante me autoriza a ensinar sobre o mundo das palestras, desde os bastidores até o palco, e meu conhecimento como editor e escritor me credencia a ensinar como construir um livro significativo.

Começamos então a construir o seminário. Montamos as aulas e as experiências vivenciais porque queríamos que as pessoas não tivessem simplesmente uma aula, mas pudessem ter novos pontos de vista sobre esse trabalho.

Minha experiência como psicoterapeuta me ajudou a escolher exercícios psicológicos que ampliassem a capacidade de sucesso dos participantes.

Pensamos que os três dias de seminário deveriam ser ampliados e criamos um programa de treinamento com supervisão para que o participante começasse a estudar, antes mesmo do início do seminário, e pudesse ter um acompanhamento de seus projetos depois que ocorressem as mudanças em suas apresentações. Implementamos o *coaching on-line* para dar assistência contínua aos participantes no pós-seminário.

Depois disso, realizamos várias reuniões com possíveis participantes do seminário para fazer as perguntas do Método Oba. Quando vimos as respostas positivas surgirem com frequência, fizemos várias apresentações compactas do seminário para conhecer suas opiniões, fizemos as mudanças que eles sugeriram e só então lançamos o produto.

Resultado: uma multidão de palestrantes que ampliaram sua capacidade de ajudar as pessoas a mudarem suas vidas e empresas por intermédio do seu conhecimento.

Como você pode perceber, ao aplicar o Método Oba, conseguimos ter a certeza de que precisávamos, de que tínhamos em mãos um público consistente e, principalmente, uma Solução-Ouro para os problemas de palestrantes e empresários da área. Daí veio o sucesso do evento, que se repete e aumenta a cada ano.

"Roberto, os grandes empreendedores sabem correr risco, mas odeiam arriscar. Eles fazem muitos estudos para minimizar as possibilidades de erro e, mesmo assim, erram muitas vezes", comentou meu amigo.

"Hoje conversamos o bastante. Agora quero deixar um trabalho para você fazer antes de definir o novo negócio que vai criar. Defina o problema que você e seu sócio vão resolver em seu novo negócio e depois analise-o usando o Método Oba. Se todas as respostas forem positivas, faça uma reunião com alguns possíveis compradores desse produto para confirmar suas conclusões e só depois comece o novo empreendimento!"

Ao me despedir de meu amigo, entreguei a ele uma folha de papel com um esquema para preencher e estudar. Reproduzo esse esquema abaixo, para que você também o use.

Método Oba

Passo 1: Defina
Defina qual é o problema que você e seu novo negócio vão resolver.

Passo 2: Responda
1. Meu cliente potencial tem algum tipo de dor, urgência ou paixão irracional decorrentes de seu problema?

PROBLEMAS? OBA!

2. Meu cliente potencial está procurando ativamente soluções para seu problema e gastando dinheiro com isso?
3. Existe espaço para um novo produto nesse mercado?
4. O número de clientes potenciais é alto o suficiente?
5. Tenho uma Solução-Ouro para esse problema?

Fique rico ajudando as pessoas

Meu amigo apareceu novamente vestindo jeans e camisa esporte. Não sou de ficar atento às roupas das pessoas, mas passei a notar o que ele estava vestindo, porque eu sabia que aquela mudança no visual representava também uma grande mudança no seu modo de pensar. Pensei que, à medida que mudamos nosso interior, mudamos nossa aparência. Brincando, ele falou:

"Estou voltando a ganhar bem! Até já comprei um carro decente!"

"Resolver problemas dos outros também resolve os problemas da gente", respondi, comemorando sua tomada de consciência. *"Fica rico quem cuida melhor dos outros"*, completei.

É muito lindo ver você colocando em prática suas novas ideias. As pessoas que admiro são aquelas que não deixam o conhecimento mofar na biblioteca. A mudança não acontece quando falamos que sabemos, e sim quando implementamos nosso conhecimento.

"Estou vendo que estamos chegando ao fim deste trabalho e quero deixar algumas ideias para você continuar esse processo. Pode ser?"

"Seria muito bom!"

Acredito muito que para ter mais precisamos ser mais. Nosso crescimento deve nascer da nossa alma. Quanto maior o tamanho do nosso coração, maior o tamanho das nossas realizações. Observe as pessoas que não conseguem ter sucesso na vida. Sabe a primeira coisa que me chama a atenção? É que essas pessoas não se importam muito com os outros. Veem que os filhos estão carentes, mas não dão atenção a eles. Percebem que seus funcionários estão insatisfeitos, mas não fazem nada. Observam que os clientes saem insatisfeitos do restaurante, mas não dão importância a isso. Sabem que os projetos estão parados, mas continuam chegando atrasadas ao trabalho. Falam coisas bonitas, mas fazem pouco para que as pessoas ao seu lado sorriam com suas ações.

"Então, vou falar algumas coisas para você ter em mente e se lembrar sempre de abrir o seu coração! Isso é muito importante para completar nossa conversa."

ESTEJA DISPONÍVEL PARA OUVIR SOBRE OS PROBLEMAS

Mostre que você está aberto para resolver os problemas. Crie um clima para que as pessoas contem a você suas dificuldades, especialmente aquelas que não são discutidas nas reuniões.

Afaste o clima de apreensão, pois pessoas que se sentem inseguras não vão conversar com você sobre problemas, com medo de serem responsabilizadas pela situação. Estabeleça um clima de confiança, uma vez que o objetivo não é achar culpados, mas construir novas soluções.

É muito comum um diretor ter uma reação negativa quando faço uma pergunta sobre um problema de sua empresa. Se ele tem essa reação comigo, eu me pergunto como ele agirá com seus subalternos. Infelizmente, hoje em dia, há gestores que brigam com sua equipe quando alguém comenta com o diretor da empresa sobre um problema que não está sendo resolvido.

Também acho preocupante quando, nas reuniões das empresas, impera o silêncio. É sinal de que as pessoas estão com medo de dar sua opinião e de fazer suas análises. É sinal também de que a empresa está indo ladeira abaixo e ninguém se sente confiante para dar o grito de alerta. É uma demonstração clara de que o diretor-geral, em vez de usar a inteligência da equipe para resolver os problemas, está usando seu poder para jogá-los para debaixo do tapete.

Observe que, após um período de medo, vem sempre uma explosão, que geralmente se reflete nas finanças da empresa. Antes disso, porém, vêm sempre os sinais: seus colaboradores querem sair da empresa; as reclamações dos fornecedores aumentam; o departamento jurídico trabalha mais do que nunca; algumas pessoas mentem para você. Porém, o pior sinal é o silêncio que há quando as pessoas não reclamam mais se o outro departamento não cumpre sua parte.

Nessa hora, é fundamental criar um ambiente em que as pessoas possam falar de suas angústias e de suas ideias. É fundamental que o coordenador ouça o silêncio das pessoas, mas também analise suas sugestões, pois, nessa ocasião, querer dar aulas e tentar empolgar a equipe geralmente surte o efeito contrário.

Quando a empresa está vivendo um processo difícil, é importante que as medidas tomadas sejam estruturadas para ouvir as opiniões das pessoas. Não adiantam os discursos motivacionais, especialmente quando se grita como um louco para que se venda uma nova máquina de datilografia para um mercado ávido por computadores.

Algumas perguntas para você responder enquanto toma um chá:

- As pessoas falam abertamente com você sobre suas angústias?
- Elas se sentem à vontade para discordar de suas percepções?
- Você tem pedido aos seus colegas para dar um parecer sobre seu trabalho?

Se o silêncio impera, algo vai explodir. Se você não está acostumado a fazer reuniões em que a equipe possa apresentar suas ideias e passa a fazê-las, vai perceber que, no começo, haverá uma chuva de reclamações sobre pontos sem relevância, como a troca do aparelho de telefone. Na maioria das vezes, os gestores ficam chateados e essas reuniões são interrompidas porque eles sentem que nelas não há nenhuma contribuição efetiva.

Na verdade, a equipe está testando sua capacidade de ouvir as reclamações. Se você desistir das reuniões, seu pessoal vai ver claramente que você não está aberto ao diálogo de verdade. Mas, se esses encontros continuarem, todos vão perceber que a conversa vai se aprofundar e poderão dar contribuições valiosíssimas.

É fundamental, porém, que você ouça as pessoas, discuta as ideias e implemente um plano para resolver essas situações. Não há nada mais desgastante que conversas que não mudam nada. Ouça e implemente!

SEJA CURIOSO E PESQUISE A SITUAÇÃO

Um dos melhores sinais de que uma pessoa pode resolver qualquer problema é sua capacidade de pesquisar todos os detalhes que existem ao redor de um problema.

Quando um problema estiver se repetindo, você precisará ser curioso e investigar. Terá de ver quais são as tendências: quem está crescendo em seu mercado, se seu mercado está de fato crescendo, quem são seus concorrentes. É preciso conversar com os clientes, ver o que eles estão comprando e conversar com a sua equipe para descobrir como produzir o que as pessoas estão comprando.

As pessoas ficam velhas quando perdem a curiosidade. Por isso, pode haver velhos de 18 anos e jovens de 90. Infelizmente, existem pessoas que se tornam arrogantes com seu extenso currículo e não conseguem criar um futuro inovador.

Às vezes, ouço uma pessoa falar que na sua posição ela não pode se misturar com quem está começando. Isso é perigoso, porque quem não souber se misturar com os jovens não vai pegar a onda do Vale do Silício. Quem não souber se misturar com quem está iniciando não vai pegar a onda dos negócios da internet.

É muito comum que eu vá a congressos no exterior e encontre, no jantar do hotel, algum empresário conhecido. Se eu pergunto o que ele está achando do evento e ele me responde que não está vendo nenhuma novidade, questiono a quais palestras ele assistiu. É quando percebo que ele não assistiu a nenhuma delas com atenção, porque acha que já sabe tudo.

Certamente, para o nível de conhecimento daquele empresário, talvez não tenha havido nada de revolucionário. Quando, porém, houver uma grande novidade revolucionária, se ele não for rápido, vai acabar sem dinheiro para ir novamente a um congresso como aquele.

Existem também as pessoas que não vão a congressos sobre temas que elas não conhecem bem. Só que perdem o começo da onda e, quando acordam, já foram arrastadas pelo tsunami.

Há algum tempo, eu estava tomando café com meu filho Arthur, que trabalhava em uma das empresas mais modernas do Brasil. Ele me pediu para pagar sua inscrição em um evento. Perguntei se ele já havia pedido para a gerente de RH para que a empresa pagasse o evento.

Com seu jeito brincalhão, ele respondeu: "Não só não vai pagar, como não me dispensou do trabalho nos dias do evento". Perguntei como ele faria então, e ele falou: "Vão descontar os dois dias das minhas férias".

Fiquei tocado, pois ele adora viajar e se estava sacrificando esses dias de férias era porque o tema deveria ser importante. Pedi que minha secretária efetuasse o pagamento não só da inscrição dele, como da minha também. Era um congresso sobre redes sociais, no qual haveria a presença de grandes especialistas internacionais.

O congresso mudou minha concepção de comunicação. E foi especialmente bom ter participado dele com meu filho, pois cada vez que o palestrante falava uma palavra estranha para mim, ele me explicava o conceito.

Como diz o consultor norte-americano Jim Collins, a curiosidade é um dos maiores sinais de vitalidade de um profissional.

INTERESSE-SE PELA EVOLUÇÃO DA SUA EMPRESA

Sempre tive o interesse de conversar com todos e de lhes perguntar como as coisas estão indo na minha empresa. E é incrível como eu aprendo com isso.

No começo da minha editora, tínhamos um motorista chamado Antonio, que era uma pessoa muito simples. Sempre que eu encontrava seu Antonio no estacionamento, carregando um pedido, perguntava a ele como estava o trabalho. E ele só dava duas respostas.

Com um baita sorriso, ou ele dizia: "Trabalhando muito, doutor. A editora está vendendo muito. Eu tenho ido tarde para casa". Ou então, com uma expressão de chateação, ele falava: "Não estou fazendo nada, doutor. Os livros não estão vendendo. Pode reclamar com os chefes, porque ninguém está comprando os livros que eles estão fazendo".

Hoje, uma das rotinas que tenho é visitar o estoque de livros e falar com o responsável. Ele é quem sabe o que está acontecendo de verdade com nosso produto.

Outro hábito que tenho sempre que sou contratado para uma palestra é perguntar para o contratante quem são os palestrantes que têm sido contratados pela empresa e quais os temas das palestras. Com essa simples conversa, tenho conseguido monitorar o mercado.

Em algumas dessas conversas descobri que o Marco Aurélio Viana estava falando em eventos para centenas de pessoas; que o professor Marins estava trocando as transparências pelo PowerPoint; que o J.C. Benvenutti tinha um estilo divertido de dar as palestras; que os palestrantes estavam contratando o diretor Miguel Filiage para ensinar os segredos do palco. Descobri tantas outras informações, que me abriram os olhos para que eu soubesse para aonde ir.

Foi minha curiosidade que me levou à Índia para conhecer o famoso e controvertido mestre indiano Osho (ou Bhagwan Shree Rajneesh), que abriu minha cabeça para uma nova forma de ver o mundo e fez eu me adiantar à onda da espiritualidade. Deu trabalho ir à Índia e depois ao Nepal e a tantos outros lugares estranhos com mestres mais estranhos ainda. Algumas vezes, era preciso ficar careca, comer somente arroz integral, para fazer a purificação durante meses, acordar às três e meia da madrugada e entrar na fila para estar junto ao mestre Sai Baba.

A curiosidade também me fez cursar um MBA, em 1994, na USP para poder realizar melhor as palestras nas empresas, e depois foi ela que me levou a fazer doutorado na FEA-USP para ter o que conversar mais profundamente com meu público.

Em todas as vezes que parei de pesquisar porque tinha uma certeza cega no que eu estava fazendo, perdi mercado e, portanto, tive prejuízos imensos. Deu muito trabalho voltar ao jogo.

Com um olhar de tristeza, meu amigo confessou:

"Se você soubesse o quanto me arrependo de não ter feito aquele curso em Harvard... Aquela seria a melhor hora para eu me reciclar: quando eu ainda estava no auge".

Com compreensão, falei:

"O melhor de tudo é que você está aproveitando esse arrependimento para mudar de atitude. E os resultados estão acontecendo".

SEMPRE ESTENDA A MÃO, QUE ALGUÉM VAI AJUDÁ-LO!

"Roberto, obrigado por me estender a mão quando precisei."

"Às vezes precisamos de alguém para nos dar um empurrão inicial. Exatamente como os carros de antigamente precisavam de um 'empurrão' da manivela para poder dar a partida."

Quero dividir com você um texto de autoria da jornalista Elma Eneida Bassan Mendes que recebi esses dias pela internet. Olha que coisa linda:

Quando eu era criança e pegava uma tangerina para descascar, corria para meu pai e pedia: "Pai, começa o começo!". O que eu queria era que ele fizesse o primeiro rasgo na casca, o mais difícil e resistente para as minhas pequenas mãos. Depois, eu mesmo tirava o restante da casca a partir daquele primeiro rasgo providencial que ele havia feito.

Meu pai faleceu há muito tempo, mas, mesmo assim, ainda sinto como é importante ter alguém ao meu lado para, pelo menos, "começar o começo" de tantas cascas duras que encontro pelo caminho.

Hoje, minhas "tangerinas" são outras. Preciso "descascar" as dificuldades do trabalho, os obstáculos dos relacionamentos com amigos, os problemas no núcleo familiar, o esforço diário que é a construção do casamento, os retoques e as pinceladas de sabedoria na imensa arte de viabilizar filhos realizados e felizes ou, então, o enfrentamento sempre tão difícil de doenças, perdas, traumas, separações, mortes, dificuldades financeiras e, até mesmo, as dúvidas e os conflitos que nos afligem diante de decisões e desafios.

Em certas ocasiões, minhas tangerinas transformam-se em enormes abacaxis...

Lembro-me, então, que a segurança de ser atendido pelo papai quando lhe pedia para "começar o começo" era o que me dava a certeza de que conseguiria chegar até o último pedacinho da casca e saborear a fruta. O carinho e a atenção que eu recebia do meu pai me levaram a pedir ajuda a Deus, meu Pai do Céu, que nunca morre e sempre está ao meu lado. Meu pai terreno me ensinou que Deus, o Pai do Céu, é eterno, e que Seu amor é a garantia das nossas vitórias.

Quando a vida parecer muito grossa e difícil, como a casca de uma tangerina para as mãos frágeis de uma criança, lembre-se de pedir a Deus: "Pai, começa o começo!". Ele não só "começará o começo", mas resolverá toda a situação para você.

Não sei que tipo de dificuldade eu e você encontraremos pela frente neste novo ano. Sei apenas que vou me garantir no Amor Eterno de Deus para pedir, sempre que for preciso: "Pai começa o começo!".

Hoje, depois de tantas frutas que também já descasquei, inclusive muitos abacaxis, já posso "começar o começo" para muitas outras pessoas que estão aprendendo a resolver problemas.

E sei que você tem o coração grande para "começar o começo" para muita gente que ainda vai cruzar sua vida.

Faça sua vida valer a pena

Certo dia, meu amigo me convidou para um almoço. Reparei que ele fez questão de marcar no mesmo restaurante em que nos encontramos pela primeira vez.

Cheguei antes e, quando ele chegou, não pude deixar de notar que usava um terno muito elegante, com um caimento impecável. Sorrimos um para o outro e ele comentou:

"Quantas coisas aconteceram entre nossos dois almoços neste restaurante!"

Sorri, contente com seu renascimento.

Em seguida, ele me contou de seus negócios. Era sócio da nova empresa e tinha ganhado um bônus sensacional com os lucros do último ano.

Resolver problemas havia mudado totalmente sua vida. E ele comentou que agora tinha muito mais prazer em ajudar os outros do que em querer ser o melhor.

Em determinado momento, ele me perguntou:

"Sabe qual mensagem sua mais me tocou? 'Eu prefiro a orientação aos elogios'. Durante muito tempo, vivi para colecionar aplausos,

mas agora quero continuar aprendendo cada vez mais. Estou muito arrependido de ter vivido contando vantagens das minhas conquistas. Agora, quero ver o resultado do meu trabalho nas vitórias das pessoas que trabalham comigo. Quero muito ajudar as pessoas a realizar seus objetivos. Minha competência será medida pela quantidade de pessoas que eu ajudar."

Olhei em seus olhos e lhe contei uma antiga história sufi:

Uma raposa vivia na floresta havia muito tempo. Um dia, um lavrador a encontrou e reparou que ela não tinha as patas da frente, talvez perdidas ao escapar de alguma armadilha.

O homem ficou pensando como o animal poderia ter sobrevivido naquelas condições, uma vez que não podia caçar e nem mesmo fugir dos predadores. Curioso, passou a observá-la com frequência.

A raposa vivia escondida em uma caverna e, de vez em quando, surgia um tigre com alguns restos de caça e os deixava nas proximidades. Quando o tigre se afastava, ela saia de seu esconderijo e se alimentava da carne deixada por ele.

E assim aconteceu repetidas vezes, com o tigre generosamente oferecendo parte de sua refeição para a raposa.

O lavrador então pensou: "Se essa raposa está sendo alimentada sem fazer nada, por algum poder superior invisível, por que é que eu tenho de trabalhar tanto pelo meu alimento? Por que também não posso ficar descansando em minha cama, esperando para ser alimentado?".

E, a partir daquele dia, o homem decidiu que não mais trabalharia na sua roça. Ficou dentro de casa, esperando que a comida chegasse à sua porta.

Passaram-se os dias e nada de aparecer o alimento. O homem insistiu no seu intento, até que estivesse só pele e osso.

Perdeu sua casa, seu dinheiro, sua lavoura...

Já perto de perder a consciência pela falta de alimento, finalmente ele ouviu uma voz que dizia: "Oh, homem tolo. Por que insiste em não ver a verdade? Você não percebe que deveria ter seguido o exemplo de generosidade do tigre, em vez de se identificar com a raposa dependente?".

Infelizmente, quando veem um gesto de carinho, as pessoas se identificam com a pessoa que o recebe e passam a viver como parasitas, quando na verdade deveriam perceber que abrir o coração para cuidar do outro é o principal caminho para ser uma pessoa melhor.

O sucesso vem da sua disposição em ajudar a resolver os problemas das pessoas. E não em você se tornar parte dos problemas.

Quem fica esperando pela graça divina, sem em nada contribuir, perde a vitalidade e fica velho rapidamente. Por isso, dizemos que muitas pessoas morrem muito cedo, mas são enterradas aos poucos.

Não importa como você começou, porque isso foi o que o destino decidiu lhe dar. Importa, sim, como você vai terminar sua vida, porque isso mostrará como você moldou seu destino.

A questão não é apenas sobre o quanto você ganhou ou perdeu, mas sobre o quanto aprendeu.

No final, o que realmente vai importar no jogo da vida não é quanto dinheiro você ganhou, mas quantas pessoas você ajudou e quantos sorrisos você colocou no rosto delas.

É isso que vai definir seu sucesso!

Eu e meu amigo terminamos nosso almoço, conversamos mais um pouco sobre outras coisas e nos preparamos para nos despedir. Ao se levantar, ele orgulhosamente abotoou seu paletó novo e falou:

"Acho que você imagina o quanto este terno novo significa para mim!..."

E, antes que eu pudesse fazer algum comentário, completou:

"Para mim, hoje este terno não significa mais o status profissional, sim o quanto posso crescer e ajudar mais as pessoas."

Sorri! E, pela primeira vez em minha vida, admirei um terno que alguém estava usando!

Seja muito feliz!

Um grande abraço,

Roberto Shinyashiki
San Diego, julho de 2011

Referências bibliográficas

BACH, Richard. *Ilusões*. Rio de Janeiro: Record, 2004.

BUSCAGLIA, Leo. *Assumindo a sua personalidade*. Rio de Janeiro: Nova Era, 2006.

CHARAN, Ram; COLVIN, Geoffrey. Why CEOS Fail. *Fortune Magazine*. 21. Jun. 1999.

COLLINS, Jim. *Empresas feitas para vencer*. Rio de Janeiro: Campus, 2001.

COMM, Joel. *Ca$h!* – Como criar negócios altamente lucrativos na internet. São Paulo: Gente, 2011.

GERBER, Michael. *Sua ideia vale um negócio?* – Como planejar e começar seu projeto vencedor. São Paulo: Gente, 2011.

GERENTE EDITORIAL
Alessandra J. Gelman Ruiz

EDITORA DE PRODUÇÃO EDITORIAL
Rosângela de Araujo Pinheiro Barbosa

ASSISTENTE EDITORIAL
Cissa Tilelli Holzschuh

CONTROLE DE PRODUÇÃO
Elaine Cristina Ferreira de Lima

PREPARAÇÃO
Bete Abreu

REVISÃO
Malvina Tomáz

PROJETO GRÁFICO E DIAGRAMAÇÃO
Kiko Farkas/Máquina Estúdio

Copyright © 2011 by Roberto Shinyashiki
Todos os direitos desta edição são
reservados à Editora Gente.
Rua Pedro Soares de Almeida, 114
São Paulo, SP – CEP 05029-030
Tel.: (11) 3670-2500
Site: www.editoragente.com.br
E-mail: gente@editoragente.com.br

Este livro foi impresso pela gráfica Arvato Bertelsmann
em papel norbrite 66,6 g

Dados Internacionais de Catalogação na Publicação (CIP)
(Câmara Brasileira do Livro, SP, Brasil)

Shinyashiki, Roberto
Problemas? Oba! - A revolução para você vencer no mundo dos
negócios / Roberto Shinyashiki — São Paulo : Editora Gente, 2011.

Bibliografia
ISBN 978-85-7312-753-9

1. Decisões 2. Determinação (Traço de personalidade) - Atitudes
3. Oportunidade 4. Planejamento empresarial 5. Soluções de
problemas 6. Sucesso 7. Sucesso em negócios I. Título

11-07973   CDD-158.7

Índice para catálogo sistemático:
1. Sucesso em negócios : Psicologia do trabalho 158.7

Para retirar seus vídeos bônus, acesse o site
www.shinyashiki.com.br/leitores